国家と教養——目　次

第一章　教養はなぜ必要なのか　7
「グローバル・スタンダード」の背後にある、「アメリカの意図」を見抜けなかった日本。情報の取捨選択を可能にする「芯」のない国は、永遠に他国の思惑に流される。

第二章　教養はどうやって守られてきたか　28
アレクサンドリア、コンスタンティノープル、バグダッド。ギリシアの古典は西洋の外で守られ、やがてルネサンスとして花開く。「教養の歴史」を概観する。

第三章　教養はなぜ衰退したのか　48
教養はアメリカ人にとって、「自分たちが自らの意志で捨てたヨーロッパの遺物」である。資本主義、世界のアメリカ化、グローバリズムの進展で、教養の地位は墜ちていく。

第四章　教養とヨーロッパ　59
教養主義のチャンピオンであるドイツがヒットラーを生んだのには理由がある。一般大衆を見下していた教養市民層には、政治意識と社会性が決定的に欠けていたのだ。

第五章　教養と日本　102
漱石言うところの「上滑りの開化」を続けてきた日本。西洋崇拝に由来するその「教養」には、常に無理がつきまとっていた。戦前知識層の苦闘の足跡をたどる。

第六章　国家と教養　146
現代の民主主義国家で求められるのは「孤高の教養主義」ではない。大衆の現実を踏まえ、政治センスも伴った、真に血肉化された教養である。「教養の四本柱」を提示。

第一章　教養はなぜ必要なのか

バブルが一九九一年に崩壊しました。日経平均株価は四万円に迫り、東京の山手線内の土地価格でアメリカ全土が買える、と言われたほどのバブルでした。大銀行の課長が、しがない大学教授である私の所にまで来て、「今、この土地を買えば三年で倍になりますよ。全額お貸しします」などと熱心に勧誘しました。

バブルが弾けた後、人々はそれまでの不況のように、数年も待てば自律的に好況に転ずるだろうと高を括っていました。ところがこの不況はそれまでのものと様子が違っていました。株価は一九八九年末のピークから三年足らずで半分以下にまで急落し、日本の土地資産はピーク後十年余りをかけて半分になりました。株と土地を合わせて千五百兆円ほどの資産が日本から失われたのです。

「地価は下がらない」という神話にもとづいて、多くの土地は借金の担保となっていましたから、資金を貸していた銀行には不良債権が山のように積もり、北海道拓殖銀行、日本長期信用銀行、日本債券信用銀行などの大手銀行が次々につぶれました。株価低落で山一証券や三洋証券がつぶれました。ＧＤＰ（国内総生産）は激減し、給料は減らされ、新卒学生にとって就職氷河時代と言われるほどの就職難となりました。

「バスに乗り遅れるな」再び

それだけなら、これまでの不況に比べ、より苛酷だった、ですんでしまいます。この不況がそれまでの不況と本質的に違ったのは、不況克服という大義名分のもと、九〇年代後半から、日本大改造が始まったことです。戦後五十年間の日本の繁栄を支え、「奇蹟の復興」をもたらした原動力とも言える日本型システムを、バブル発生と崩壊の真因の分析もせぬまま、一気に葬り始めたのです。バブル崩壊と長びく不況ですっかり自信を失った国民の狼狽に乗ずるかのような、一気呵成の大改造でした。

キーワードは「グローバル・スタンダード」でした。それまでは穏やかな新聞と思われていた日本経済新聞が、アメリカ帰りのエコノミスト達に共鳴するかのように突然トーンを上げ始めました。成果主義を喧伝し、それまでの終身雇用を基本とした日本型経営や、株式持合いなどの日本型資本主義を、悪玉に仕立て上げ始めたのです。

日本型資本主義はすでに「制度疲労」を起こしているのだから、早急にグローバル・スタンダードに改めろ、「バスに乗り遅れるな」と言い立てました。「バスに乗り遅れるな」とは、戦前、日独伊三国同盟の直前にも叫ばれた、国民を一定方向へせきたてるための決まり文句でした。付和雷同しやすい国民には効果満点の文句でした。

グローバル・スタンダードとは和製英語で定義は不詳ですが、内容はいわゆるアメリカ型資本主義、いわゆる新自由主義、いわゆる市場原理主義、いわゆるグローバリズムです。元を正せばシカゴ大学発の一学説と言うか、一イデオロギーと言って過言ではありません。一九八〇年代のレーガン政権に取り入れられたことで一挙にアメリカで支配的となり、冷戦終了後はアメリカ自国の国益のため、世界中に半ば力ずくでばらまかれました。

それは一言で言うと、規制を片端から撤廃し、ヒト、カネ、モノが自由に国境を越えられるようにすることです。具体的には巨大ヘッジファンドや巨大多国籍企業などが、世界中を股に、いっさいの規制なしに利潤（しばしば瞬間的利益）を追い求めることを可能にするものです。それは金融資本主義を完成させようとするものです。大企業や富裕層に有利、従って支配層に有利、ということでこれは西側社会ばかりでなく、ロシアや中国にも少しずつ広がっていきました。

アメリカのための改革

九〇年代半ばに日本経済新聞やアメリカ帰りのエコノミスト達がグローバル・スタンダードを声高に言い始めたのに呼応するかのように、ムーディーズやS&Pといったアメリカの格付け会社が、日本の銀行や証券会社を格下げし始めました。世界最優良企業の一つであるトヨタ自動車までが、何と終身雇用制度を採っているという理由で大幅に格下げされました。力ずくで終身雇用をやめさせよう、自分達のやり方に従わせようとしたのです。

アメリカは得意の情報工作に加え、息のかかったIMF（国際通貨基金）を利用し、世界各国に対ししきりにグローバリズムを進展させるよう働きかけました。とりわけ世界第二の経済大国であり、アメリカの経済上の最大ライバルでもある日本が、グローバリズムとは対極的なシステムを採りながら、極端に強い体質をもっていることは、容認できないことでした。そこで日本の強みの源泉である体質を変えることが最優先事項となりました。アメリカの核の傘の下にいるという負い目を持っていて、終戦以来アメリカにとことん従順だった日本だから、うまく脅したりすかしたりすればどうにかなる、と算段していたことでしょう。

日本改造へのアメリカの強い意志と圧力は、その後も続きました。金融ビッグバン、ＢＩＳ規制、郵政民営化、商法や司法や医療制度の改革、労働者派遣法の改革など、矢継早に大改革がなされました。これらのほとんどは、アメリカ政府が「年次改革要望書」や「日米投資イニシアティブ報告書」として日本に突きつけたものの実施にすぎません。この二つは日本国民に存在すら伝えられていず、あたかも首相直下の経済財政諮問会議や規制改革会議が討議のうえで決定したかのごとく報道されていました。日本政府はアメリカの要望を満たすため、この二つの会議の委員には新自由主義者を集めました。

無論アメリカのための改革でした。例えば三角合併解禁は、外資が日本企業を買収しようとする時、現金を用意しなくとも自社株で買収できるようにしたものです。アメリカ企業は時価総額が桁違いに巨大です。例えばアメリカのトップであるアップル社の場合、日本の上位十社の合計に匹敵するほどです。すなわち、アップル社の株式だけで、その気になれば、トヨタ自動車、三菱UFJフィナンシャルグループ、NTT、NTTドコモ、ソフトバンク、ソニー、日本郵政、KDDI、三井住友フィナンシャルグループ、キーエンスなどをひっくるめて買収できてしまうということです。

大手メディアは大改革を煽りながら、それらがアメリカ発という事実をひた隠しにしたと言ってよいほど報道しませんでしたから、国民は何も知りませんでした。二〇〇四年になって関岡英之氏が『拒否できない日本』（文春新書）で初めて暴いたものでした。

二〇〇五年、小泉純一郎首相による一方的な郵政解散の二ヵ月前、自民党の城内実議員が衆議院の委員会で、竹中平蔵郵政民営化担当大臣にこう質問しました。

「郵政改革について日本政府は米国と過去一年間に何回協議しましたか」

事前にこの質問だけはしないよう官僚から懇願されていたものを、城内実氏がアメリカの露骨な内政干渉に対する義憤から強行したのでした。これに対し竹中大臣は、「十七回」と渋々答えました。露骨で執拗な内政干渉がなされたことを認めたのです。三百兆円に上る郵貯や簡保に狙いを定めたアメリカが、いかに熱心に郵政民営化を求めたかを物語ります。

アメリカではすでに一九九三年、ジャパン・ハンドラー（日本を操る学者・政治家）

として知られたケント・カルダーが、「郵貯の活用が世界経済活性化につながる」という論文を書いていました。日本において郵貯は、財政投融資や公共投資の原資として、戦後の経済成長、石油危機後の経済復興、地方活性化などに活用されていました。カルダー論文の趣旨は、「日本で使わせないで米国で使おう」ということでした。現在も日本を蝕んでいる「日本財布論」が生まれたのです。

翌一九九四年から先述の「年次改革要望書」が毎年、日本に送られることになりました。政府とメディアはこの存在を米国大使館の公表を通して知りながら、二〇〇九年に政府が認めるまでの十五年間、国民に知らせようとしませんでした。

郵政民営化とは言うまでもなく、民営化され株式が公開されるのを待って、アメリカが三角合併で吸収合併するか主導権を握って三百兆円の運用権を我が物にしようとしたものです。日本国民が汗水たらし営々と貯めた三百兆円を、日本政府がアメリカに貢ごうとしたのが郵政改革だったのです。

実際、上場する時のゆうちょ銀行の社長はシティバンク銀行の元会長、運用部門のトップはゴールドマン・サックス証券の元副会長になっています。そして、保有する米国債は、ゆうちょ銀行スタート直後の二〇〇八年にはゼロでしたが、二〇一六年には五十一兆円に増加しています。その間に日本国債の保有は百五十九兆円から七十四兆円に減少しました。地方の衰退や国内産業の空洞化に拍車がかかりそうです。この売国的とも言える郵政改革を、郵政選挙で国民は熱狂的に支持したのです。

アメリカの欲する日本改造を、なぜか我が国の政官財と大メディアが一致して賛同するばかりか、その旗を振り、国民を洗脳し、ついには実現させてしまう、という流れは今も続いています。小泉構造改革をはじめ、消費増税、TPP（環太平洋経済連携協定）など国論を二分してよい改革を、大新聞が一致して支持する様はまさに壮観かつ異様です。

共産圏に代わる敵

我が国の政治家も官僚もメディアも、そして国民も、一九九〇年前後の冷戦終結を甘く見ていました。第二次大戦後の世界を二分した、アメリカを盟主とする資本主義・自由主義陣営と、ソ連を盟主とする共産主義・社会主義陣営の対立が、ベルリンの壁の崩壊やソ連解体などでいきなり終わったのです。

この時、私を含め日本人のほぼすべては、「米ソ対決がやっと終わった」「核戦争の恐怖からやっと解放された」「ついに自由主義、民主主義が共産主義に打ち勝った」といった昂揚感や安堵感に包まれていました。冷戦終結の歴史的意味や唯一のスーパーパワーとなったアメリカの新しい世界戦略を探ることを怠ったまま、ソ連崩壊とほぼ同時に起きたバブル崩壊にすっかり目を奪われてしまっていました。国民にとっては、当然のことながら、歴史の転換やその影響を検討するより、目先の株価や不動産の暴落、引き続き起きた金融機関の倒産や不況への対応の方が、より身近で緊急だったのです。

世界の一強となったアメリカは、自由主義が勝った、などといつまでも浮かれていませんでした。激変の影響を徹底的に検討し、これからの世界戦略を練り始めました。戦後半世紀近く、アメリカの庇護の下で、経済成長以外は何も考えず、天下泰平でやってきた日本。核大国ソ連を相手にした緊張下で、常時情報分析を怠らず戦略を練り続けてきたアメリカ。この二つの差は途轍もなく大きくなっていました。

中でも、大統領直下のＣＩＡ（中央情報局）や国防総省のＮＳＡ（国家安全保障局）は、青ざめていました。国家戦略の要でもある情報組織ＣＩＡとＮＳＡは、それまで主に共産圏に対する諜報活動を行っていましたから、冷戦終結後は必ずや自分たちの存在価値が大きく低下すると考えたのです。

ＣＩＡはヒューミント（スパイなどを用いた活動や工作）、ＮＳＡはシギント（電子機器を使った諜報活動やその分析）が主たる仕事です。とりわけＣＩＡの活動は派手で、ベトナム戦争でのトンキン湾事件など、海外での幾多のクーデター、戦争、暗殺などを画策し実行してきました。例えばキューバの国家元首かつ首相のフィデル・カストロに対してだけで、六三八回に及ぶ暗殺未遂事件を起こしたと言われています。ＮＳＡは世界中の電話、無線、海底ケーブルなどの傍受を秘かに行い情報を収集分析していました。

冷戦終結で、瞬く間に共産圏という主敵が霧散してしまいました。巨大情報網の人員や予算の大幅削減が必至であることを考えると、彼らが青ざめるのは当然です。生き残りの手段として彼等は、主たるターゲットを共産圏から経済戦略に切り替えました。

狙い撃ちにされた日本

当時のアメリカは、一九八〇年代にレーガン大統領の経済政策、レーガノミックスが施行され減税と軍拡が行われた結果、財政赤字（歳入より歳出が大きいこと）と経常赤字（海外との貿易や投資活動による収支が赤字）という双子の赤字に苦しんでいました。

一方の日本は、世界経済の中で一人勝ちをしていました。

ベルリンの壁が壊された八九年には、早くもCIA長官ウィリアム・ウェブスターが、「今後、日本を含む経済ライバル国家が情報活動の対象となろう」と言明しました。翌九〇年にはジェームズ・ベーカー国務長官が、「冷戦での戦勝国は日本だった。冷戦後も戦勝国にさせてはならない」と語りました。九二年にはCIA長官のロバート・ゲイツが、「CIA情報活動の四割を経済産業分野に振り分ける」と宣言しました。

そして九三年にはクリントン大統領がすでに進行していた「ジャパン・バッシング（日本叩き）」を大々的に展開し、日米貿易交渉を指して「貿易戦争（trade war）」とただならぬ表現を用いました。戦争（war）とは、「勝つためならどんなことでもする」という意味を含んでいて非常に不穏な言葉です。対日貿易赤字の主たる原因は、日本の家電や日本車ほど質の高い製品を作れないという自らの技術力不足にあるのに、それを棚に上げ日本叩きに走ったのです。

冷戦時には、自由主義、資本主義が共産主義より優れている証拠として、超優等生日本はアメリカにとって大切な国でした。外交、防衛に限らずあらゆる庇護を与えられました。冷戦終結で日本はもうその意味では不要となったのです。アメリカが変貌しました。外交、防衛で日本を庇護下におくことは、日本国内に多くの米軍基地を設けるなど戦略的に巨大な利点がありますから、無二の盟友であることは冷戦後も維持しました。ところが、経済ではあっという間に最大のライバル国となったのです。経済において他国はすべてライバルと言えますから、日米は普通の間柄になったとも言えます。

九〇年代半ばから今日にかけて、金融ビッグバン、新会計基準、市場原理、グローバル・スタンダード、小さな政府、官叩き、地方分権、民営化、規制緩和、大店法、構造改革、リストラ、ペイオフ、郵政改革、緊縮財政、商法や司法の改革、消費増税、TP P……と矢継早に登場しました。すべてアメリカが我が国に強く要求したもの、ほとんど強制したものであり、アメリカの国益を狙ったものでした。一人勝ち日本を叩き落とすための緻密な戦略に沿ったものでもあったのです。

日本人は第二次大戦後の世界を牛耳ってきたアメリカ情報機関の、冷戦終結に伴うドラマチックな変貌などにさしたる注意を払いませんでした。大新聞もCIA長官達の発言をベタ記事としただけでした。そしてアメリカからの度重なる改造要求は、バブル崩壊後の日本経済を立て直すための、盟友からの温いアドバイスと受け止めてしまいました。政官財のみならずメディアも、大きな疑惑を持たず乗ってしまったのです。そのように思わせるための情報工作や洗脳工作も盛んになされました。我が国ではここ二十年余りの長期にわたってデフレ不況が続いていますが、これは経済統計の整った二十世紀以降で世界最長のデフレなのです。それまでアメリカでの最長は大恐慌後の四年間（一九三〇～三三）で、日本では昭和恐慌時の五年間（一九二七～三一）でした。世界金融史上ダントツに長いこのデフレの正体は、軍事上の無二の盟友アメリカが、経済上では庇護者から敵に変わったことに、世界一お人好しの日本人が気付かなかったための悲劇、と言って過言ではありません。

バブル大崩壊という災難につけこんだ新自由主義の強要は、ショック・ドクトリン（惨事便乗型資本主義）と呼ばれる、新自由主義拡大のための典型的テクニックだったのです。人々が茫然自失から正気を取り戻す前に、一気に体制を変えてしまうということです。ショックにつけこんだ卑怯な方法です。火事場泥棒です。母親を亡くして二ヵ月後の女房にプロポーズした私に大きな口は叩けませんが。お見合いが一引き分け四連敗だったため仕方ありませんでした。

ショック・ドクトリンに関しては、チリの軍事クーデターが典型例です。一九七三年、アメリカは民主的に選ばれたアジェンデ政権をCIAを用いたクーデターにより倒しました。そしてその混乱に乗じ、ピノチェト軍事政権を立て、新自由主義の教祖とも言えるシカゴ大学教授ミルトン・フリードマンの弟子達（シカゴ・ボーイズ）を、経済政策担当としてチリに送り込みました。彼等は国営企業の民営化や福祉・医療・教育など社会的支出の削減などを行いました。初めの二年間ほど景気は回復しましたが、すぐに経済成長はマイナスに転じ、自由貿易によって国内製造業は壊滅、貧困率は前政権時代の二倍の四〇％となりました。そのため一九八五年にシカゴ・ボーイズは追放されたのです。スマトラ沖大津波で被害を受けたスリランカやイラク戦争後のイラクでも似たことが起きました。ボリビア、ウルグアイ、アルゼンチンなどでも同様でした。

小さな政府、規制緩和、民営化などを徹底してから、それらを米金融資本が買収し、その国を経済的植民地にしてしまおうという、恐ろしい目論見でした。

ミルトン・フリードマン教授とシカゴ大学経済学部で同僚だった宇沢弘文教授によると、フリードマンはベトナム戦争時、北ベトナムに水爆を使用するよう主張していたそうです。他人の惨事につけこむなどという卑劣な方策を考え出した人だけのことはあります。

改革によって損なわれた「国柄」

かく言う私も、お人好しでは人後に落ちないだけに、二〇〇〇年初頭に小泉竹中政権が誕生し暴走を始めるまで、何も気付いてはいませんでした。規制改革や自由競争の名の下に改革につぐ改革がなされましたが、世界との経済交流を活発化するため国際的な標準に合わせているだけなのだろう、くらいに思っていました。

ところが、二〇〇〇年代に入り欧米やアジアが力強い経済成長を続ける中で、我が国の経済だけが一向に浮揚しませんでした。世界から「日本病」などと言われていましたが、私もはっきりした理由が分らず狐につままれた状態でした。ただ、中小企業など弱者が追いこまれ、地方の駅前商店街が急激にシャッター通り化し、社会や人心が荒れてきたように感じ、大変な事態になっていると思い始めました。

経済上の変化が、不思議と言おうか、当然と言おうか、人々のやさしさ、穏やかさ、思いやり、卑怯を憎む心、献身、他者への深い共感、と日本を日本たらしめてきた誇るべき情緒までをも蝕み始めたのです。世界でも最も金銭崇拝から遠い国だった我が国が、あっと言う間に、物事を金銭で評価するようになりました。弱肉強食のせちがらい競争評価の中で、人心はすさみ、法律に触れないことならなんでもやる、という風潮が我が国に広がっていきました。江戸時代までの日本では、町奉行のような裁判に携わる人を除き誰も法律など知りませんでした。「お天道様が見ている」や「キタナイことはスルナ」で秩序が保たれていた国でした。

規制緩和により企業が、正規社員に比べ給料が半分以下ですむ非正規社員を増やしたため、非正規はバブル崩壊以降これまでに全雇用者の二〇%から四〇%へと倍増しました。とりわけ三十五歳未満の非正規労働者数はこの期間に二倍半、五百五十万人ほどにふくらみました。日本に進出したい外国企業にとって、非正規社員は給料が安くてすむばかりか、雇用や解雇が比較的容易なため、非常に好都合なのです。

非正規の若者はいつクビになるかも分らず、平均年収も二百万円になりません。結婚し子供を育てる、というそれまで普通と思われていたことに二の足を踏むのも仕方ありません。その上、苦労して子供を産み育てても、その子が競争また競争のすさんだ社会で、幸せになれるかどうか自信を持てなくなりました。

そのため二十代での結婚が激減し、必然的に出産数もガタ落ちとなりました。少子化が大声で叫ばれると、「労働力」を補充するという理由で、実際は「安い労働力」を得るため、満を持していたかのように一千万人移民計画が登場しました。ヒト、カネ、モノが自由に国境を越える、という新自由主義が着々と完成を目指して力強く歩み始めたのです。

私はなぜ、経済改革といいながら社会全体を変えてしまうような劇的改革を、これほど急激に実行するのか、ようやく疑い始め、本格的に調べてみました。陰に陽に、無二の盟友であるはずのアメリカの影が現れたのです。冷戦終結後のアメリカの変貌を確信しました。

最初は驚きました。アメリカは無二の同盟国というだけではありません。子供の頃からの憧れの地でした。焼け跡で、ジープに乗った颯爽たる米兵に「チューインガム！」と叫んだ頃からです。二十代の末からは数年間、ミシガン大学とコロラド大学で研究教育に携わっていましたから、青春の地でもあります。当時の同僚の何人もが吉祥寺の我が家を訪ねてくれました。また当時のセクシーだったガールフレンド達（今は六十代）から「デミアン・フジワラ」の名で今も多くのクリスマスカードが来ます。デミアンは私のニックネームで、ヘルマン・ヘッセの小説『デミアン』に登場する、人の心を読む不思議な能力を持った主人公の名からつけられたものです。私は若い頃から今日まで、女性の心を摑むことにかけて天下無双だったのです。

皆素晴らしい人々です。なのにそのアメリカが日本に対して、と驚いたのです。我が国はアメリカからの要求を、不況を心から心配してくれる親友からの暖かい助言と取り、無邪気に受け入れ続け、国柄という国家最高の価値を失って行きました。こんな祖国に危機感を持った私は、二〇〇五年に『国家の品格』を著したのです。

∞（無限）イコール0

小泉竹中政権になってしばらくしてから、やっと色々なことに気づいたと言いましたが、私は何一つ発見したわけではありません。私が調べて知った事実はすでに書物やネットにいくらでも出ていました。ほとんどの国民と同様、私がうっかりしていただけです。私がしたことは、調べて知った事実を頭の中で整理し、多くの断片的事実を私流につなぎ合わせ、一つの有機体を構成してみただけです。

書物やネットにある情報量はほぼ無限です。それなのになぜ、ほとんどの人々が気づかなかったのでしょうか。「∞（無限）イコール0」なのです。無限にある情報の中から、人間は取捨選択し自分の情報とします。ここで適切な選択のできない人は、真偽の明らかでない情報、偏った情報、真っ赤な嘘、正しいが取るに足らない情報、などばかりを拾いがちです。

この世に溢れる情報の九九・九九九九九九九九九九％は自らにとってゴミ情報です。例えば、イギリスのケンブリッジ郡グランチェスター村で十四世紀に、粉屋の娘が近所の男とふしだらな関係を結んだこと。一九八七年十二月二十六日に同地で開かれた樽レースで誰が優勝したか。これらは世界中のほぼすべての人にとって完全に無価値な情報です。この村に住む人々のうちのノーベル賞受賞者の割合は世界一高い、という情報も正しいながら価値は限りなく小さい。昭和三十四年の都立西高入試における受験番号一番（成績ではない）が私という事実も、どこかに存在する情報ですが、私以外の人間にとってはほぼ無価値です。

誰しも、有限の人生において、無価値の情報に関わっているヒマはありません。自分にとって価値のある情報だけを選択したい、とすべての人々が思っています。それらがその人の判断力の基盤となるからです。

それでは人間は、耳目に入るありとあらゆる情報から、どんな物差しにより価値ある情報、自分にとって有意義な情報を選んでいるのでしょうか。銀行員が融資先の会社の状況を調べるというような職業上の情報とか、三十代前半の私がお見合い相手の情報を釣書で読む（結局は片端から断られたので無意味・無価値でしたが）というようなものを除くと、通常は嗅覚により自分にとって価値ある情報を選択しているのです。

その嗅覚は何によって培われるのでしょうか。教養とそこから生まれる見識が大きく働いているのです。では、教養とは一体何か、ということになります。ところが教養というものの定義は余りに多く、人により千差万別と言ってよいほどです。言葉の定義をしてから議論を始めるというのは、論理的にもっともな感じがしますから流行っているようですが、私に言わせればヒマ人のすることです。言葉など、大体の概念が共有されていれば、話は通ずるものです。そもそも厳密な定義はとうてい無理なのです。言葉を定義するには言葉を使わざるを得なく、日常語はどれ一つをとっても厳密な定義などないからです。そんなことに口角泡をとばすのは、数理哲学者ヴィトゲンシュタインの言う「言語ゲーム」にすぎないのです。

厳密な定義がすべての言葉に備わっているのはこの世の中で数学くらいです。

恐らく現在もっとも共有されている教養とは、「古典や哲学などの知識とそれらを通した人格の陶冶」というような概念と思います。ロマンティックな概念ですね。そういった従来の教養が、人類の歴史を通していかに偉大な力を発揮したか、そしてどうして二十世紀になって力を失って行ったかを、この後に続く第二、三、四、五章で見てみます。それらをふまえ、第六章で新たな教養について述べ、それがなぜ現代世界の人間にとってかつてよりも必要となっているのかを見てみたいと思います。

第二章　教養はどうやって守られてきたか

紀元前三三一年、ギリシア人の国家マケドニアのアレクサンダー大王は、念願のペルシアとの戦争に勝利しました。ペルシア支配下にあったエジプトを手中にしたアレクサンダー大王は、ナイル河口に自らの名を付した新都市アレクサンドリアの建設にとりかかりました。中近東すべてを含み、東は北西インド、北はタジキスタンにまで及ぶ大帝国を作った大王でしたが、ペルシア征服から十年も経たないうちに、三十二歳の若さで病没してしまいました。大帝国は大王麾下の将軍たちにより三分割されました。

アレクサンドリアの世界最大の図書館

そのうちの一つが、アレクサンドリアを首都としてプトレマイオス一世の創立したプトレマイオス朝エジプトです。彼は若い頃からアレクサンダー大王の臣下かつ親友として、共にアリストテレスの教えを受けていました。アレクサンダー大王は「父から生を受け、アリストテレスから高貴に生きることを学んだ」と言うほどアリストテレスを崇拝し、その下で教養を積んでいましたが、このプトレマイオスも同様に学問や文学を愛好していました。

彼はアレクサンドリアに学術研究所ムセイオンを作り、世界各地から詩人や学者を招聘したうえ、その付属施設としてアレクサンドリア図書館を作り、あらゆる分野にわたる世界中の書物を集めました。図書館は金に糸目をつけず原本を集めました。アレクサンドリアに寄港した船にある本はすべていったん没収し、多数雇っていた写字生を使い、片端から地元産のパピルス紙の巻物に写し取りました。時には、多額の補償金を乗せて写本を返却し、原本は自分のものとしてしまう、などということもあったようです。最盛期の蔵書数は七十万巻とも言われ、当時、世界最大の図書館でした。

ムセイオンでは文献学を中心に、数学、物理学、天文学などが大いに隆盛しました。ここで研究した数学者だけを挙げても、『幾何学原論』のユークリッドを初め、エラトステネス、浮力に関するアルキメデスの原理のアルキメデス、ヘロンの公式のヘロン、トレミーの定理で有名な天文学者のトレミー、不定方程式論のディオファントスと目も眩むばかりです。

このプトレマイオス朝は三百年ほど続きましたが、陰りの見えてきた紀元前三十年、かの絶世の美人クレオパトラ（正確にはクレオパトラ七世）が即位しました。クレオパトラは末期のプトレマイオス朝を立て直そうと、美貌美声媚声を駆使してローマ帝国のカエサルやアントニウスなどの英雄を籠絡しました。美貌美声媚声がそろったら、どんな男も抵抗できません。これら英雄の子供まで生みましたが、カエサルが暗殺され、アントニウスが死ぬと、乳房をコブラに噛ませて自殺してしまいました。その後プトレマイオス朝はローマに滅ぼされました。

しかしながら、ギリシア人、ユダヤ人、エジプト人などからなる人口百万の、世界一の巨大都市となっていたアレクサンドリアは、ローマに併合された後も、文化面ではローマを圧倒しました。地中海貿易の中心地としての経済力、膨大な図書と学問的蓄積を背景に、アレクサンドリアは実に紀元の前後三世紀間ずつ、すなわち六世紀の長きにわたり、文化の花を咲かせました。ギリシア文化に古代オリエントの味付けを加えたヘレニズム文化です。現在の中学や高校の数学で習う図形の性質はほぼすべてこの頃のものです。

さしものヘレニズム文化も盛者必衰の理には逆らえず、いつまでも我が世を謳歌することはできませんでした。世界中の富を集め、豊かさに酔いしれ、パックス・ロマーナ（ローマの平和）が続いたのですが、享楽に耽溺したローマは精神から崩れ始めました。征服戦争によりもたらされていた奴隷、という安価な労働力の供給がなくなり、富の基盤も崩れました。ついに内乱が始まり、三世紀中葉には五十年間になんと二十六人の皇帝が入れ替わる、というすさまじさでした。同時代の中国の三国、魏、蜀、呉の闘争も顔負けです。

この内乱を制したコンスタンティヌス一世は、迫害されていたキリスト教徒を救うため、三一三年にミラノ勅令を出し、キリスト教を含めた信仰の自由を認めました。ローマ帝国の人々はギリシアの人々と同じく、ローマ神話の神々、ギリシア神話の神々（ただしギリシア名はラテン名にかえゼウスをユピテル、アテナをミネルウァ、アポロンをアポロなどと呼んだ）、エジプトの神々、オリエントの神々などを信仰する多神教でした。一神教のキリスト教やユダヤ教には反感を持っていました。ユダヤ教徒やキリスト教徒が、偶像崇拝を否定されていたため皇帝崇拝に従わなかったことは、紀元一世紀の皇帝ネロによる弾圧をはじめ度重なる迫害の原因となりました。にもかかわらずキリスト教の広まりは止まらなかったのです。

コンスタンティヌスは帝国内の求心力低下を防ぐためキリスト教徒を利用しようと考え、キリスト教を事実上の国教にしました。三二五年にはニカイア公会議を開き、教義を統一しました。キリストの位置付けをめぐり教徒間の抗争が激しくなっていたので、この会議で三位一体を正統としたのです。すなわち、「父なる神」とその子「キリスト」と「聖霊」が一体であるという教義です。

三位一体はニカイア公会議以降、今日に至るまで正統ですが、それを信じない異端も生き続けました。十七世紀後半、ケンブリッジ大学トリニティ（三位一体）コレッジの教官だった万有引力のアイザック・ニュートンは、敬虔なキリスト教徒でしたが、終生、三位一体に同意しませんでした。聖書を深く研究していた彼は、三位一体説を、「四世紀に聖書のラテン語訳を作った神学者ヒエロニムスによる捏造」と密かに結論していたのです。

コンスタンティヌス帝は三三〇年、ヨーロッパとアジアの接点であり、黒海と地中海の接点でもあるボスポラス海峡に面し、東西交易の要衝であった小都市ビザンティオンで、巨大な城壁をはじめ、大々的な都市計画に着手しました。そして自らの名をつけコンスタンティノープル（今のイスタンブール）としました。ローマからの遷都です。普通はこの頃までが古代、四世紀の遷都後ルネサンスまでの一千年余りが中世と呼ばれます。

アレクサンドリアを受け継いだコンスタンティノープル

ローマ帝国は三九五年に、コンスタンティノープルを中心とした東ローマ帝国と、イタリアを中心とした西ローマ帝国に分裂しました。ちょうどこの頃、ロシア平原の遊牧民族フン族の猛々しい騎馬兵が、ヴォルガ河を渡って東ヨーロッパに侵入して来ました。この脅威から逃がれようと、黒海沿岸あたりにいた東ゴート人が西に、そこにいた西ゴート人が南に、と連鎖的にゲルマンの諸民族が大移動を開始しました。一部はローマ領にも侵入して来ました。西ローマ帝国は北アフリカ以外に豊かな土地を有しないうえ、そこもドイツ、ポーランド、チェコあたりにいたヴァンダル族の南下により侵されましたから、最も大切な農業が衰え税収が減り、ついには軍事力も保持できなくなったのです。こうして西ローマ帝国は建国後百年もしないうちに、ゲルマン人達により滅ぼされてしまいました。二百年余り続いたゲルマン民族大移動によりヨーロッパと北アフリカは民族構成が一変しました。ゲルマンは文字を持たず文化的には野蛮でしたが、優秀な製鉄技術を持っていたので、優れた武器により連戦連勝だったのです。ドイツの教科書では大移動と書いてありますが、フランスの教科書では大侵入となっています。一つの事象でも、視点によって違ってくるのが分かります。

はかない命だった西ローマ帝国に比べ、東ローマ帝国（ビザンティン帝国）は、またとない地の利を生かした東西貿易で莫大な利益を得て長く繁栄しました。その上、エジプト、シリア、小アジア（トルコ）など古い文化や伝統をもつ豊かな地方が領内にありました。そのため財源や人材の補充に不安がなく、ゲルマン人、ペルシア人、アラビア人などによる再三の攻撃にも耐え、驚くことに千年余りも続きました。

さて、アレクサンドリアのムセイオン（学術研究所）や付属の大図書館ですが、失火や内戦による被害に加え、ここでの学問を異端と断じたキリスト教徒たちが蛮行を繰り返したため、五世紀には跡形もなくなってしまいました。不幸中の幸いは、ヘレニズム学術の貴重な成果のすべてが失われる前に、ここで研究していた多くの学者たちが、できるだけ多量の書物を持って東方へ逃げ出したことです。

書物を荷車にのせて新都コンスタンティノープルに来た学者たちの影響もあり、新都ではアレクサンドリア型の学術活動、すなわち書籍の収集や文献学が盛んに行われました。ビザンティン帝国の教養人は皆古代ギリシア語を読めましたから、ギリシアの文学、算術、幾何などに通じ、ホメロスなどは暗唱できるほど叩きこまれていました。中世を通じ、ヨーロッパでは忘却されていた古代ギリシア・ローマの文化が、この地で保存されることになったのです。

このような理由もあり、この時期、ヨーロッパ人はビザンティン帝国をローマ帝国の唯一の後継者と見なし、その文化や伝統に敬意を払い、強いコンプレックスまで持っていたと言われます。尊敬されるのは、いつの世でも軍事力や経済力ではなく、文化や伝統なのです。

コンスタンティノープルは無論、何度となく周辺異民族の猛攻を受けました。しかしながら五世紀に完成した巨大城壁が首都を守り通しました。市の内陸側には、幅二十メートル近い濠、その内側に高さ八メートルの外城壁、さらにその内側には高さ十二メートルの内城壁、という鉄壁の守りでした。海側にも城壁があります。いかなる外敵も寄せつけなかった大城壁の一部は、今もイスタンブールに残っていて上に登れます。私も数年前に見ましたが、厚さが数メートルもあるので、当時の武器で壊すのは至難だったはずです。

この大城壁のおかげで、ビザンティン帝国は、一時は世界の富の三分の二を握り世界帝国として君臨しました。膨大な外国人傭兵と老獪な外交により力は長く維持され、首都コンスタンティノープルには世界中の人々が商用や観光で訪れ、住み着きました。

ローマ時代と同じように「パンとサーカス」の伝統も受け継ぐことができました。サーカスとは見せ物の意で、当時は戦車競走のことです。市民にパンを無料で配給し、収容人員五万人のサーキットを作り、二頭ないし四頭立ての二輪車、すなわちチャリオット（戦車）による競走を年に百日以上も催したのです。競走は通常四台の戦車で行われ、戦車の上に立った騎手は、左手に手綱を握りつつ右手で革の鞭を激しくふるうのです。白熱した競走の合間には、アトラクションとして曲芸や、牡牛対ライオン、猟犬対狐など、動物の戦いが行われたりしました。市民は戦車競走にお金を賭け熱狂していました。ここは今、イスタンブール中心部の長方形の美しい公園となっています。

アッバース朝、バグダッド

ビザンティン帝国は、六世紀のユスティニアヌス一世の時にゲルマン諸民族に奪われていたイタリアや北アフリカを取り戻し、かつてのローマ帝国の版図に迫る勢いを示しました。またキリスト教世界最大の教会、聖ソフィア寺院を建設し、東方正教の総本山としました。この教会はその後イスラム教寺院となり、今もイスタンブールの中央に高くそびえています。現在はアヤソフィアとして博物館になっています。

しかし、どんな繁栄も、どんな幸福も、どんな権勢も、いつまでもというわけにはいきません。盛者必衰の理です。メッカ郊外の洞窟で神の啓示を受けたムハンマド（モハメット）が六一〇年に開いたイスラム教は、たちまちに中東全域に拡がり、六二二年には初めての小さなイスラム国家がメディナ（現サウジアラビア内）に登場しました。とりわけ八世紀中頃に生まれたアッバース朝は強大で、中東全域から東はアフガニスタン、西は北アフリカまでを含む大国で、首都バグダッドは世界最大の都市となりました。

この頃、つまり八世紀頃のビザンティン帝国は、北からはゲルマン諸民族、東からはペルシア、南からはアッバース朝に押され、辛うじて今のトルコにギリシアの一部を加えただけの小国になってしまいました。経済的基盤としての地中海貿易も、すっかりアラビア人の手に握られてしまいました。

アッバース朝は強力な武力を有したうえにイスラム教という強固な宗教的信念により、揺るぎないものとなりました。バグダッドで学術を大いに振興し、コンスタンティノープルと張り合いました。かつて、アレクサンドリアの没落を機に東方へ逃げた学者たちは、コンスタンティノープルばかりでなくバグダッドにも来ていたのです。この伝統を核に、新たにギリシアやシリアなどからあらゆる分野の学者や書物が集められ、ギリシア語からまずシリア語へ、そしてそこからアラビア語へと翻訳されました。それに加えてペルシア、インド、中国などの天文学や数学などもここに伝えられ、さらに発展しました。

例えば、数学では0やそれを用いた筆算はインドから輸入されましたが、それを用いて、九世紀の数学者フワーリズミーは二次方程式の解の公式、十一世紀のハイヤームは三次方程式の解の公式などを発見しました。なお、計算の手順を表わすアルゴリズムはフワーリズミーから来ていますし、ハイヤームは詩人としても有名で四行詩集『ルバイヤート』は日本語（岩波文庫）をはじめ各国語に翻訳されています。

アラビア数字の優位性

さて、ヨーロッパの方では、四世紀のコンスタンティノープル遷都やキリスト教の国教化などにより、中世に入っても混乱は続きました。優秀な学者や軍人が東方に移ったこともあり、文化的に遅れたゲルマン諸民族が軍事力や政治力をふるい始めました。そして何より、キリスト教の熱狂的支配が続いたため、キリスト教以前に花開いた古代ギリシアの自由な学問や文化は、異教徒のものと見下され、ついには忘れ去られてしまいました。十一世紀になって、$\sqrt{2}$が有理数（分数として表せる）か無理数（分数として表せない）かが学者により議論される有様です。千年以上前のギリシア人は$\sqrt{2}$が無理数と知っていました。文明はともかく、文化は千年かかって退歩することもある、という好例です。

それどころではありません。ヨーロッパではローマ時代以来ルネサンスに至るまで、何と十五世紀間もローマ数字を使っていました。アラビア数字はインド人が発明し、バグダッドのフワーリズミーなどが整備したもので、現在、世界中で使われています。そのアラビア数字と、ローマ数字とを比べてみましょう。

Ⅰ　1
Ⅱ　2
Ⅲ　3
Ⅳ　4
Ⅴ　5
Ⅵ　6
Ⅶ　7
Ⅷ　8
Ⅸ　9
Ⅹ　10
L　50
C　100
M　1000

例えば80と90をローマ数字ではどう書くのかと言うと、加えるものは右側、引くものは左に書くという規則なので、

80＝LXXX　　90＝XC

となります。アラビア数字で90から80を引くには桁を合わせて書けばすぐにできますが、ローマ数字では一見して分るように四則計算は至難です。簡便な操作などないので筆算ができません。まして暗算はできません。特殊な算盤でやるより他ありません。それだってアラビア数字による筆算より時間がかかります。

ヨーロッパでは0がなかったために、位取り記数法を用いることができなかったのです。インド人は0を発見したので、1から9までの数字と0だけであらゆる数字を表す

ことができました。「何もない」を「0がある」と達観したインド人の勝利だったのです。ヨーロッパ人は、後にこの記数法をアラビア人から教えてもらったので、アラビア数字と呼ばれることになりました。ヨーロッパでこれが広まったのはルネサンス後のことです。一言で言うならば、ヨーロッパは長い長い中世の時代、無教養どころか、読み書き計算すらできない無知蒙昧の地だったのです。

十二世紀ルネサンス

バグダッドを拠点としたイスラム国家アッバース朝が地中海沿岸を占領してから三世紀間余り、地中海貿易は停滞し、この海はいわば閉ざされた海となっていました。アッバース朝の勢いの衰えた十二世紀になって、ジェノヴァやヴェネツィアなどの北イタリア都市国家が、地中海貿易の主導権を握るようになりました。インドやアラビアの商人により東方から地中海沿岸まで運ばれた香料、絹、綿、果物などを買い、地中海を船で運んで、ヨーロッパで売り、逆にヨーロッパの銀、銅、毛織物、オリーブ油などを東方に輸出したのです。ジェノヴァやヴェネツィアは、海軍力つき商社みたいなものでした。ヴェネツィアの貿易商人だったマルコ・ポーロはジェノヴァとの戦争中に捕虜となりましたが、その時に著したものが『東方見聞録』です。日本をジパングとして初めてヨーロッパに紹介しました。

この交易により、アラビア語に訳されていた古代ギリシアの知的遺産が、アラビアの数学や科学などとともに、ヨーロッパにもたらされました。それらはスペインやシチリアなどで、盛んにラテン語に翻訳されました。スペインの南半分はイスラムの国でしたし、シチリアにもアラビア人が多く、両言語に通じた人々がいたからです。

この、いわゆる「十二世紀ルネサンス」により、十三世紀にはイタリアのトマス・アクイナスがアリストテレス哲学を活用してスコラ哲学を完成し、十四世紀にはプラトンの影響下で、イタリアから詩人ペトラルカや『デカメロン』のボッカチオが登場し、盛んに創作活動を行いました。彼等はギリシア語を読めませんでしたから翻訳のおかげです。十五世紀初頭には、衰退したビザンティン帝国からヨーロッパに来た学者たちにより、ギリシア語学校が設立され、ギリシア語の学習熱が高まり、アラビア語を通さずギリシア古典から直接ラテン語に訳されるようになりました。

こうした流れの中、一四五三年五月二十九日未明、コンスタンティノープルの城壁にオスマン・トルコ帝国の三日月旗がひるがえりました。この頃、力衰えたビザンティン帝国はすでにほぼすべての領地を失い、城壁に守られた地域だけに縮小していましたが、難攻不落を誇った城壁もついに破られ、一千年余り続いたビザンティン帝国は滅びました。

滅亡の一世紀余り前から滅亡にかけて、衰退する帝国に見切りをつけた幾多の学者たちが、多くのギリシア古典の写本を携えてイタリアなどに渡来しました。千年余り前と逆方向のことがなされたわけです。ギリシア語を学習した人々によるギリシア古典のラテン語訳は飛躍的に進みました。こうしてギリシア古典は、千年間もビザンティン帝国やイスラム国家に保存された後、ヨーロッパに里帰りしたのでした。ルネサンスです。知識人は新たな知識を求め、これら古典をむさぼり読みました。

中世の人間観の中心には「霊魂」がありましたが、ルネサンス期になると、「肉体を有する人間そのもの」を中心におくようになりました。「生とは何か」から「どう生きるか」の方に関心が移って行ったのです。教養は修道院の僧侶のものから書斎の知識人のものへと移って行きました。

学芸復興の火付けとなったギリシア古典

大きなことが起きる時には色々のことが同時に起きるようです。ちょうどこの頃、グーテンベルクにより活版印刷が発明され、これら書物は活版印刷により大変な勢いで広く読まれるようになりました。ヨーロッパではラテン語が知的世界における共通語でしたから、プラトンやアリストテレスの全集、ホメロス、イソップ、アリストファネスといったギリシア人の著作が、十六世紀初めにはヨーロッパ中で読めるようになりました。

少し遅れてこれらは各国語にも翻訳、刊行され、中世人の閉ざされて静的だった精神を、開かれた動的なものに変えて行きました。人々の発想は自由を取り戻し、文学を皮切りに、芸術ではレオナルド・ダ・ヴィンチ、ミケランジェロ、ラファエロ、ボッティチェリなどがきら星のごとく現れました。

さらに少し遅れて宗教では、十六世紀初めにオランダのエラスムスが『痴愚神礼賛』などで教皇や高僧、王侯貴族やスコラ哲学者の堕落を風刺しました。ちなみに、この書を著していた頃、エラスムスはイギリスのビールのまずさに音を上げながらも、ケンブリッジ大学のクイーンズ校にいました。私の教えていた所でもあります。彼の使っていた背もたれの高い、しっかりした木製椅子は、今もそこの学長公邸に保存されていて、私達夫婦が招ばれた時、私も学長に勧められるままに腰を下ろしたことがあります。

イギリス人には妙な趣味があるようで、ロンドンにある王立研究所（Royal Institution）の所長室にも、かつての所長で『ロウソクの科学』で有名なファラデーの使っていた椅子が保存されていて、やはり腰を下ろすことを所長に勧められました。偉人の椅子に座っても、触れたのは尻だけなので、大したアイデアは生まれませんでした。

『痴愚神礼賛』をきっかけに、ルターやカルヴァンなどによる宗教改革が始まりました。すぐ続いて、東方で保持されていたギリシア数学やアラビアの天文学などに影響され、科学革命が起きました。地動説のコペルニクス、天文学や力学のガリレオ・ガリレイ、天文学のケプラーなどが活躍し、デカルト、パスカル、フック、ニュートン、ライプニッツ、ベルヌイなどの数学や物理学が発展しました。

ギリシア古典を取り戻すことで、精神中枢に点火されたヨーロッパは、読み書き計算もできないという蒙昧の地から脱皮し、一気に知を開花させました。

科学革命は産業革命につながり、ヨーロッパは地球上の他地域とは桁違いな科学力、技術力、産業力を手中にしました。必然的に図抜けた経済力と軍事力を獲得し、今日に至るまで欧米が世界を取り仕切ることになりました。

無論、ヨーロッパのその後の爆発的発展にはいくつかの背景があります。中世の暗黒の主犯でもあったキリスト教が、今度は逆に、発展の大きな推進力となりました。科学革命においては、「聖書に書かれた奇蹟以外の奇蹟を認めない」という原則から、物事の必然性を、すなわち因果をあくまで論理的に追求しました。ニュートンは、「神が自ら造り給うた宇宙だから、神の声がその仕組みの中に、美しい調和としてあるに違いない」と信じ、「宇宙は数学の言葉で書かれている」と考えました。ギリシアの自由な精神に加え、このようなキリスト教的な先入観、我々日本人にとってはとんでもない妄想が、万有引力、力学、光学などの驚異的発見を可能にし、科学革命を推進したのです。キリスト教の勝利でもあったのです。

自然科学ばかりでなく、社会科学に関しても、キリスト教は大きな力を発揮しました。マックス・ウェーバーが『プロテスタンティズムの倫理と資本主義の精神』で百年余り前に指摘しましたが、西欧近代で資本主義が力強く発展した原動力には、ピューリタン的発想が背景にあります。死後、神により救済されるかどうかは分らないが、「神の御心に適う生き方をしていれば、神によって救済される可能性がある」と信じ、世俗的欲望や贅沢や浪費を抑え、神に与えられた天職に献身し社会に貢献しようとしたのです。「隣人愛」の結果、利潤が生まれれば、それは社会への貢献の成果であり、神の祝福であり、ひいては「死後の救済の証し」と解釈しました。

勤勉と金儲けを正当化したプロテスタント諸国は、仏教、イスラム教などの他宗教はもちろん、カトリックを初めとしたキリスト教他宗派に対しても、資本主義発展において優位に立ったのです。今も米英独や北欧などプロテスタントが大半を占める国々は、南欧や東欧などカトリックや正教の国々より概して裕福です。プロテスタントは宗教改革により生まれたものですから、やはりルネサンスの成果です。

いずれにせよ、千年間にわたり中国やイスラム国家に遅れをとっていたヨーロッパが、劇的な変身をとげました。すべての発端は、千年近い中世の惰眠から人々を覚醒させたギリシア古典です。

たかが古典です。それでも文学、数学、自然科学など、古典から得た教養が人々の精神にコペルニクス的転回を与え、世界史を大転換してしまったのです。古典からの教養とはそれほどの力を秘めたものなのです。

第三章　教養はなぜ衰退したのか

人類の長い歴史の中で、教養とはどんなものでどのように考えられてきたのでしょうか。

古代ギリシアでは、ピタゴラスの定理（三平方の定理）で有名なピタゴラス（紀元前六世紀）が一種の宗教結社を作りました。ピタゴラス教団あるいはピタゴラス学派と呼ばれるものです。この学派の学園では、自由人（すなわち非奴隷）になるための技術として、七つの科目が基本とされました。ただし奴隷といってもアメリカ型の畜生扱いされた奴隷ではなく、売買される階級、すなわち中下層階級の意味です。アテネでは自由人と奴隷が半々くらい、スパルタでは大多数が奴隷と言われています。自由人になるためには、すなわち奴隷にならないためには、教養が必須だったのです。

この学園の本科生には音楽（文芸、詩歌、音楽）、算術（計算法や数論）、幾何学（平面図形）、天文からなる数学系四科が求められました。「万物は数である」のピタゴラスですから、音楽なども数学系となり、数学系四科がこれほど強調されたのです。聴講生のコースでは文法、修辞、論理の言語系三科が教えられていました。

前四世紀に活躍したプラトンもピタゴラスの影響下にあって、「哲学的問答を学ぶための準備として、数学系四科を十七、八歳までの少年時代に学ぶべき」と、著書『国家』の中で書いています。アテネ北西郊に作った彼の学園アカデメイアの門には、「幾何学を知らざる者この門を入るべからず」と書かれた額が掲げてあったと言われています。私には「いいぞ！　いいぞ！」ですが、人によっては「数学至上主義もいい加減にしろ！」となるでしょう。

リベラルアーツの起源

ところが、アカデメイアでプラトンの教えを受けた前四世紀のアリストテレスは少し違いました。天才である師に見習わないのですから大天才です。アリストテレスは、若き日のアレクサンダー大王の家庭教師となった関係から、後にアテネ東郊に学園リュケイオンを大王に建ててもらいました。ここではピタゴラスや師プラトンの夢想的とも言うべき数学中心主義から離れ、広く人文、社会、自然からなる三つの科学が体系的に教えられました。

アリストテレスはリュケイオンで教えながら哲学、論理学、生物学、修辞学、倫理学、政治学をはじめ諸分野で厖大な業績を残したため、後に「万学の祖」と呼ばれるようになりました。岩波書店から出版中の『新版　アリストテレス全集』は各巻五百ページほどで何と二十巻もあります。

このような経緯があって、帝政ローマ時代の末期、紀元五世紀には、ギリシア時代以来の数学系四科とその他の言語系三科をひっくるめて、自由七科と呼ばれるようになりました。自由人となるための技術（リベラル・アーツ）という意味であり、現代の教養の原型です。

さて中世に入ったヨーロッパでは次第に、自由七科のうちの言語系三科を三学、その上位に立つ数学系四科を四科と呼ぶようになりました。そして、これら自由七科の上位に哲学を置くようになりました。十二、三世紀にヨーロッパで大学が誕生した際、この伝統にのっとって、神学部、法学部、医学部など専門コースに入る前段階として自由七科を学ばせる、という制度が作られました。これは現代のアメリカの大学やそれを見習った戦後日本の大学で、教養科目として残っています。内容は人文、社会、自然という三科学の考え方に触れるというものに大きく変わりました。無論、奴隷のいない時代ですから、立派な社会人になるための素養です。

このように人類の長い伝統を継ぐ、素晴らしい目的をもった教養主義ですが、第二次大戦後、世界中で少しずつ衰微してきています。世界の大多数の国々がとっている民主主義においては、独裁者や王様ではなく一人一人の国民が主役です。本来、一人一人が立派な市民でなければ民主主義は成り立たないはずです。国民の教養はかつてに比べより一層必要になっているはずなのに、教養主義が衰微しつつあるのは不思議です。理由があります。

マックス・ウェーバーの予言

二十世紀初め、マックス・ウェーバーは前掲書の結びの方でこう予言しました。

「（資本主義発展の最終段階では）精神のない専門人、心情のない享楽人、など無なる人々が、自分達は人間性のかつて達したことのない高みに登りつめた、と自惚れるだろう」

その通りになりました。現代人は、科学技術や生産手段の進歩を人間性の進歩と勘違いしたまま、自惚れと傲慢に身を置くようになったからです。

このような現代人は、生存競争に勝つためにも、生活を豊かにするためにも役立ちそうにない教養などは、前世紀までの遺物でありヒマ人の時間潰しと、見下すようになったのです。これが第一の理由です。

それでは教養の衰退は、資本主義や文明の発達に伴う歴史的必然、というだけで片付けられるものでしょうか。そうではありません。日本ばかりか、文明の遅れた国、共産主義や独裁主義の国も含め、世界中に蔓延しているからです。

衰退の理由の二つ目は世界のアメリカ化です。『アメリカの反知性主義』（ホーフスタッター著、田村哲夫訳、みすず書房）の第九章にはこう書かれています。「現代アメリカの小説ではすべからく、実業家たちはたいてい愚鈍で無教養、貪婪で傲慢、反動的で不道徳な存在として描かれている」。二十世紀アメリカでは、作家などの知識人はビジネスを知性の対極に位置するものととらえてきたのです。アメリカはビジネスの国ですから、知識人は大衆を知性なき者ととらえていたことになります。知識人と大衆の間には、深淵で不健全な断絶があったのです。アメリカの知識人がトランプ大統領に就任前から強い拒否感をもってきたのもこの流れの中です。

アメリカにおいて、一般人が知性を軽視する傾向は、十九世紀の頃からありました。彼等は伝統とか知性、教養といったものを、「自分たちが自らの意志で捨てたヨーロッパの遺物」として忌避していたのです。むしろ、実用性のないものとして見下してさえいました。アメリカ人はそのようなヨーロッパ的なるものに訣別し、新しい未来を築くための指針として、功利性、改良や発明、金銭などを据えたのです。これらはメイフラワー号に乗って最初にアメリカに入植したカルヴァン派の人々の発想、すなわちピューリタン的発想と完全に合致しています。功利性や改良や発明は社会への貢献に結びつくから隣人愛の発露であり、得られた金銭は神に祝福された証しというわけです。

私がミシガン大学にいた頃のことですが、友人の若いアメリカ人数学者（夫人はセクシーでした）が「最も尊敬する人はエジソン」と言ったので驚かされました。普通の数学者ならガウスやオイラーなど、普通の理論物理学者ならニュートンやアインシュタインなどを挙げ、発明家を挙げる人はまず一人もいないからです。数学者や理論物理学者は、口に出すか出さないかはともかく、心の中では、実用的価値より理論的価値や美的価値が上、発明より発見が上、と見ているからです。実用や巧利の尊重がこれほど隅々にまで行き渡ったアメリカで、教養が余り顧みられないのは必然です。世界のアメリカ化で少しずつその病いが広がりました。

教養は本能を制御する

第三の理由はグローバリズムです。ここ二十年ほどでアメリカ発のグローバリズムが世界に浸透しました。一言で言うと規制なしの自由経済ですが、これは強欲資本主義を生み、二〇〇八年にはリーマン・ショックという激震を起こし、大恐慌かと世界を震撼させました。強欲にまかされた国際経済は数年ごとに危機に陥るなど、極めて不安定なものとなっています。そればかりか、世界中で国ごとの格差、国の中では国民ごとの格差を著しく大きくし、社会を不安定にし、人心を荒んだものにしています。

本来なら、やはり適切な規制が必要と痛感されるはずですが、本場アメリカは懲りずにそれを続けようとしています。金融資本主義という楽して儲ける錬金術にどっぷり漬かったアメリカは、その間に額に汗して働かねばならぬ製造業がすっかり衰退したため、金融に頼らねば生きて行けなくなりました。新自由主義による格差拡大を分析したフランスの経済学者ピケティの『21世紀の資本』は、大部の本でありながら、三十八ヵ国で百六十万部、日本で十数万部というベストセラーになりました。アメリカでも五十万部という数字は、新自由主義に対する批判の声がヨーロッパを中心に世界中で、お膝元のアメリカでさえ渦巻いている証しと言えるでしょう。

それでも、覇権のかかっているアメリカが、新自由主義を容易に手放すとはとうてい考えられません。トランプ大統領だって、選挙中は「ウォール街が労働者の雇用を奪っている」と正義の味方のようなことを言いながら、就任するや金融規制を緩和してウォール街を喜ばせました。アメリカに限らずどの国も、口先では人道とか正義とか平等を唱えながら、あくまで国益を優先します。

例えば、中国のウイグル地区やチベット地区で恐ろしい人権蹂躙が行われているのに、自由や人権のチャンピオンであるはずのヨーロッパは、中国との経済関係を考え、口を閉ざしたままです。中国による南シナ海の軍事拠点化についても同様です。弱者や敗者への惻隠などはどうでもよいことなのです。世界中の九九％の人々は、ほとんど利害得失だけで行動しているのですから、そういった人々から成る国家が、そのような浅ましい行動やさもしい行動に向かうのは、残念ながら仕方ないことです。

有史以来のすべての戦争は、浅ましい国家同士の国益の衝突により起こりました。無論、人間にとって、利害得失に従うという生存本能から完全に脱却することは生物学的に不可能です。しかしながら、利害得失とは別の価値観を少なくとも重んずる人々を増やさない限り、永遠に同じことが繰り返されることになります。教養は本能を制御する力として大きな意味を持つのです。

新自由主義では、利潤を最大にすることがすべてです。その目的のために市場を自由にし、競争と評価の組み合わせで効率と能率を追求します。成果主義です。ここで具合の悪いことは、経済が独立した事象でなく、社会や精神にまで直ちに強い影響力を及ぼすということです。

例えば人々は新自由主義下で、金銭を餌にした、時には雇用を賭けた競争に駆り立てられるようになりました。少し誇張して言えば、かつて仲間だった人々が生存競争におけるライバルとなってしまったのです。格差にこのストレスが加わったため、世界中で社会が穏かさを失い、人の心がギスギスしてきました。

「金銭至上主義のどこが悪い」と何の衒いもなく言える国は、先進国の中ではアメリカくらいしかなさそうです（中国は発展途上国）。ビジネスの国であり反知性主義の国だから大声で言えるのです。金銭を下に見る日本の武士道精神とか、ヨーロッパの騎士道精神（とその発展としての紳士道精神）といった伝統がアメリカには希薄、ということも金銭を口にすることへの羞恥のなさにつながっています。普通の日本人やヨーロッパ人なら、金が第一だとは口が裂けても言えません。思っていたとしても隠します。

にもかかわらず、大戦後の唯一の勝者アメリカがばらまいた、新自由主義の激烈な社会的影響により、世界中の人々が食うか食われるかの激しい競争にさらされています。このような社会では、当面の競争に勝つのに役立たない教養、しかも身につけるには読書という多大の時間を必要とするものに、人々が目を向けようとしなくなったのは、自然の勢いと言えるでしょう。

二つの世界大戦で低下した教養の地位

第四の理由は、二つの世界大戦です。アメリカと違い教養の伝統のあったヨーロッパで、八百五十万人の戦死者を出した第一次大戦を防げませんでした。特に戦争の主役であったドイツは、カントやヘーゲルの国でした。ゲーテ、シラー、トーマス・マンの国であり、バッハやベートーベンの国でした。社会科学ではマルクスやマックス・ウェーバーを生み、数学ではガウスやリーマンを生んだ国でした。

この知性と教養の最高峰とも言うべきドイツが、大戦争の主人公だったのです。英仏も同様でした。そのうえ、第一次大戦の終結したパリ講和会議のたった二十年後には性懲りも無く第二次大戦を起こしました。戦争を食い止める力にならなかった、という理由で教養の地位はヨーロッパで低下したのです。

日本でも同様でした。私はよく学生達に「旧制高校は素晴らしかった。帝国大学への進学が保証されていたから、学生達は心おきなく文学書や哲学書などを耽読することができた」と言いました。学生達はすぐにこう反論しました。「それほど教養のある人々が社会を動かしていてどうしてあの愚かな戦争を許したのでしょうか」。

教養の地位は日本でも大きく低下したのです。

第四章　教養とヨーロッパ

ヨーロッパでは十八世紀から始まった産業革命や、それを支える資本主義のもたらした醜悪を、ロマン主義や道徳主義の人々が批判してきました。独のゲーテ、シラー、トーマス・マン、英のウィリアム・ブレイク、ワーズワース、トーマス・カーライル、仏のヴィクトル・ユーゴー、シャトーブリアンなどの影響を受けた人達です。

情緒、自然美、伝統、道徳といったものを経済より上位とする思想で、産業社会や機械文明への抵抗でした。だからこれらの国々では、何と二十世紀中頃まで、現実にはまったく役立たないラテン語や古代ギリシア語の教養が、知識人へのライセンスとなっていました。一九六〇年代までケンブリッジ大学でも大学入試にラテン語がありました。友人でフィールズ賞受賞者のアラン・ベイカー教授は、私をケンブリッジ大学トリニティ・コレッジのレン図書館に案内してくれた時、ニュートンの蔵書（ほぼすべてラテン語）の背表紙を片端から読んで何に関する本か教えてくれました。これら国々では今でも、大学進学を目指す者のためのエリート高校、すなわちドイツのギムナジウム、フランスのリセ、イギリスのパブリック・スクールなどでは、必修あるいは選択科目としてラテン語が教えられています。第二次大戦の頃までは必修でした。

知識人たちも自国を擁護

ヨーロッパではこのような気高い伝統があったにもかかわらず、二十世紀になって、軍人と民間人を合わせて千六百万人という戦慄すべき多数の死者を出した第一次大戦を、防ぐことができませんでした。現在でもヨーロッパでは、「大戦争（The Great War）」と言えば第二次ではなく、より多くの死者を出した第一次大戦のことです。

大戦勃発の引き金となったのはサラエボ事件です。一九一四年六月に、オーストリア・ハンガリー帝国の皇太子夫妻が、サラエボでセルビア人に暗殺されたのです。この当時のヨーロッパには、ハプスブルク家の治めるオーストリア・ハンガリー帝国の東部地域で、スラブ人が民族運動を起こしていたくらいの紛争しかなく、大戦争になるような要因は何一つありませんでした。どこの国の君主も政府も軍隊も、戦争などしたくなかったのです。

ところがサラエボ事件の発生とともに、オーストリアでは新聞などが国民を煽り始め、それに反応した国民が激昂したため、政府は事件の一ヵ月後にセルビアに対し宣戦を布告し、戦争が始まってしまいました。しかも、当初クリスマスまでに終わるだろうと言われた戦争は、四年余りも続きました。

十九世紀後半以降、ライフル銃の射程距離が伸びたため、ナポレオン時代まで主流だった騎兵による突撃は効果が薄くなり、機関銃による塹壕戦が主流となりました。第一次大戦において、戦車や航空機などは未発達だったし、新兵器として導入された迫撃砲、毒ガス、火炎放射器なども、戦局を変えるには至りませんでした。歩兵による敵塹壕への突撃という人海戦術、すなわち日露戦争での乃木将軍による旅順攻撃を真似た戦法に頼りましたから、当然ながら、それまでの戦争に比べ戦死者が激増したのです。

この戦争の引き金を引いたのは、セルビアに宣戦布告したオーストリア・ハンガリー帝国、および無邪気にセルビアにつき、その戦争に参戦したロシアでした。どの国も自国のことしか考えませんでしたが、一番悪いのは何と言ってもドイツでしょう。オーストリアに強硬論をたきつけただけでなく、露仏に対する両面作戦計画（シュリーフェン・プラン）を大々的に実行し、大戦争にしてしまったのですから。

この大戦争の主役だったドイツは、第三章で触れたように世界でもトップクラスの文化国家でした。この文化薫る国の分厚い教養人、知識人たちはいったい、この大義なき戦争に対し、どんな態度をとったのでしょうか。

大戦が始まるや否や、ドイツと敵対する西欧諸国の知識人は、ドイツの軍国主義を非難しました。これに対し、ドイツの知識人や芸術家九十三名は連名で、「文化世界に告ぐ」と題する声明を出し、ドイツの立場を強く擁護しました。大半はベルリン大学教授で、マックス・プランクやレントゲンといった一流物理学者、劇作家のハウプトマン、実験心理学の父ヴントなども含まれる豪華な顔ぶれです。

ドイツ知識人はこの戦争を、「文化のドイツ」と「文明の西欧」との間の戦争と規定しました。文化とは、文学などの芸術を意味し、文明とは政治、経済、産業革命の結果生まれたインフラなどを意味します。文化vs文明とは古代ギリシアvs古代ローマを想起させるもので、前者が後者に優越する、というのは、当時の欧州インテリ間の共通認識だったのです。

自国を擁護するヨーロッパ知識人同士の論戦はその後も激しく続きました。理性の力で戦争を抑止するどころではありませんでした。

ノブレス・オブリージュで戦死した天才物理学者

イギリスの若きエリート達は、ノブレス・オブリージュ（高貴なる者に付随する義務）から、競って最前線に志願しました。若い学生や研究者を多数失ったケンブリッジやオックスフォードの痛手は、第二次大戦よりはるかに大きなものでした。大戦勃発の頃、二十六歳のヘンリー・モーズリーは、マンチェスター大学にいたラザフォード（原子物理学の父）の下で研究をしていました。前年に特性X線の波長と原子番号との間の関係（モーズリーの法則）を発見し、ノーベル賞は確実と目されていました。

ところが彼は、師ラザフォードの「祖国への貢献は戦場に行くことだけではない」という必死の説得を振り切り、ノブレス・オブリージュに駆り立てられ陸軍に志願しました。翌年、海軍大臣ウィンストン・チャーチルは、英仏軍と露軍が連携するためには地中海と黒海を結ぶ航路を確保すること、それにはボスポラス海峡に臨むイスタンブールの占領が必要と考えました。そこでトルコのガリポリ半島上陸作戦を強行しました。

モーズリーはこの作戦に参加し、狙撃兵に頭を撃ち抜かれ戦死しました。二十七歳の若さでした。この報に接したラザフォードは絶望に打ちひしがれたそうです。

若き天才物理学者モーズリーがノーベル賞を逸した一方で、ガリポリの戦いで十万を超す英仏豪ニュージーランド連合軍を指揮し、オスマン・トルコ軍に惨敗を喫したチャーチルは、後にノーベル文学賞をもらいました。ガリポリの戦いは、イギリスにとって多大な犠牲を出して敗北した屈辱的な戦いであり、物理学界にとっても大きな損失をこうむった戦いでした。

話しはずれますが、チャーチルは日本では人気が高いようですが無能な政治家です。第二次大戦でも北欧戦線、北アフリカ戦線などを指導し、ドイツに惨敗し続けました。これらの敗北と比較にならない重大な失策は、独ソ戦争の近づいた一九三九年夏に、ドイツとソ連に挟まれたポーランドの独立を保証したことです。おかげでその十日後に英国は第二次大戦に巻きこまれてしまいました。ナチズムとコミュニズムが殺し合いをして共倒れするのを高見の見物していればよかったのです。

トルコ人にとってガリポリの戦いは、三十四歳のケマル・アタチュルクが、中佐でありながらその非凡さから数万のオスマン・トルコ軍を率い、神がかり的な指揮により、はるかに優勢な連合軍を撃退した記念碑的な戦いです。英国の従軍記者が「これまでのトルコ軍は連戦連敗の烏合の衆だったが、アタチュルク指揮下の部隊は一変して旅順攻撃の乃木軍のようだった」と書いたほどの強さでした。

これをきっかけにアタチュルクは一躍英雄となり、第一次大戦後、オスマン・トルコ帝国解体とトルコ共和国創設を自らの手で行い、イスラム社会で初めて政教分離や教育の普及に努めるなど、トルコの近代化に尽力しました。すべてのトルコ国民から今も国父として敬愛されています。現在、ガリポリ勝利の日はトルコ人にとって、史上最も輝かしい日となっています。

戦争とは見る方向により様々な解釈が常に可能ですが、ガリポリの戦いで、軍民合わせ数十万の生命が失われたこと、そして、それがその家族にとって気の遠くなるような悲劇だったことは、厳然たる事実です。ガリポリで多数の豪ニュージーランド兵士が死んだ戦場には今こんな石碑が立っています。

血を流し命を落とせし勇者よ、
汝は今、友の国に横たはれり。

安らかに眠れよ。
この地にジョニーとメフメットの違ひなし。
遠き地へ息子を送りし母親よ、
涙を拭き給へ。汝が息子は今、
我が胸に抱かれ安らかに眠れり。
この地に命落とせし汝が息子、今や我が息子ともなれり。

アタチュルク（筆者訳）

私もトルコを訪れた時にこの碑文を読んで、アタチュルクを敬愛するようになりました。

ナポレオンに敗れて目覚めたドイツ

どうして第一次大戦などというものが文明の中心地ヨーロッパで起き、アメリカ、日本、インド、オーストラリア、ニュージーランドまでを巻きこんでしまったのでしょうか。なかんずく主犯格のドイツは、世界一の教養大国でもあったのです。

さらに、この、カントやゲーテの国で、第一次大戦の大悲劇の後で、なぜヒットラーが登場したのかという、素朴な、しかし本質的な疑問が浮かんできます。これに答えるにはドイツ一国のローカルな話ではなく、従来の教養、すなわち哲学を頂点とする人文科学（英語ではhumanities、日本の大学で文学部に入るもの）の力と限界を明らかにしなければなりません。とりわけ日本は明治初期以来、戦前まで、ほぼすべての面でドイツを手本にしてきましたから、ドイツを考えることは、明治大正昭和を考えるうえで大いに参考になります。

まず少しだけドイツの近代を振り返ってみたいと思います。長い長い中世を抜け出たもののドイツは、十六世紀にはルターの宗教改革、十七世紀には三十年戦争と、プロテスタントとカトリックの抗争で、人口は激減し、国土はすっかり荒廃してしまいました。十八世紀になってもドイツは、ゆるい連合体と化した神聖ローマ帝国に一応は組み込まれていたものの、実際は約三百もの領邦に分かれ、国としてのまとまりはまったくありませんでした。

これに反し隣国フランスでは、ブルボン家の絶対王政が中央集権を進めていました。フランス革命後は、共和国が同じように中央集権制をとりました。

一方、ドイツの各領邦は、日本の江戸時代の藩よりはるかに大きな権限をもち、それぞれが主権や外交権まで持つ小国家だったのです。これでは、とうていフランスに対抗できません。一八〇七年にはとうとうナポレオンに国土を蹂躙されたうえ、エルベ河以西（現在のドイツの七割余り）を奪われ、巨額の賠償金を課せられるという屈辱的敗北を喫しました。寄せ集めの軍ではフランスの国民軍に到底太刀打ちできなかったのです。

ナポレオン失脚後も、ヨーロッパの新秩序を決めたウィーン議定書（一八一五年）を見ると、ドイツは依然としてホーエンツォレルン家のプロイセン王国と、神聖ローマ帝国から引継いだ国々、合わせて三十五の君主国と四つの自由都市に分割されたままでした。ドイツを弱体化させたままにしておく、というコンセンサスがヨーロッパにはあったのです。

国家存亡の危機に立たされたことで、ドイツはやっと目を覚ましました。国家主義の気運が一気に高まったのです。果敢な政治改革、軍制改革そして教育改革が断行されました。

ドイツ教養主義の根っこにあるフランスへの対抗心

早くも一八一〇年にはベルリン大学を創立しました。それまでにもハイデルベルク大学、ハレ大学、ゲッチンゲン大学などはありましたが、それらは主として官僚などを養成するために領邦君主が創ったものでした。言語学者であり政治家でもあったフンボルトが青写真を描いたベルリン大学は、教養を柱とし、研究と教育の一体化を目指すというものでした。以後、各国の大学のモデルとなります。

フンボルトの描く教養とは、学問を通じての人格の陶冶でした。ここでの学問とは、人間生活に直接関係があったり、実用に役立つようなものは排除され、学問のための学問を意味しました。そこで哲学やギリシア古典などが最重視されることになりました。

十九世紀初めとは、プロイセン王国がドイツの中心勢力を成していましたが、ナポレオンに大敗北を喫した屈辱がまだ生々しい頃です。フンボルトの頭の中にはフランスへの対抗心が過剰に燃え上がっていました。フランス的教養、すなわちローマ古典への反発がありました。

古代ローマのキケロは、「言語に習熟した雄弁な人間」こそ真の教養人と考えていました。すなわち自らの思考を人々に伝え、人々を動かすことのできるような雄弁さや文章力を重要視し、教養の中核に置いていました。これは今日に至るまでフランス文化の大切な部分です。だからタクシー運転手までが口舌の徒と言われるほど弁舌滑らかです。こういったフランス流をイギリス人は「抽象的な理屈をとうとうと述べ立てる輩」として嫌っていますが、フンボルトも同様、美辞麗句などをちりばめたフランス流言語操作を、小手先の虚飾として嫌悪していました。

フンボルトは、ローマ古典の流れをくむフランス文明に対し、ギリシア古典の流れをくむドイツ文化を対置させようとしました。ヨーロッパではフンボルト以前からすでに、「学問、文学、芸術の古代ギリシア」「政治、経済、工学の古代ローマ」という図式があり、前者は後者に優越する、という考え方までが定着していたのです。

フンボルトは恐らくこの考え方を胸に、ギリシア古典による内面の自己完成を新しいドイツ教育の目標にすえ、ドイツのフランスに対する精神的優越性を確立しようとしたのでしょう。また、フンボルトには、ドイツ統一という野望もあったはずです。ナポレオン戦争で負けたのは、統一国家の訓練されたフランス軍に対し、ドイツ軍は三百もの領邦の寄せ集めだったからです。ドイツを文化国家という大義名分で統一しようと考えました。

そこで、創設されたギムナジウム（大学へ進む人々のための中等教育機関）では徹底した古典語教育がなされました。ギリシア古典に触れさせ、その精神を身につけさせました。そして大学では哲学部があらゆる学部の頂点におかれ、それを学んだ後に法学や医学や神学などを学ぶ、という順にしたのです。古典と哲学に明け暮れる学生達は、大衆から遊離した、実生活と没交渉の状態に入っていかざるを得ませんでした。

フンボルトが忘れていたこと

フンボルトは、古代ギリシアのポリスでは読み書きの他に、体育と音楽も重視していたことを忘れていました。古代ギリシアでは体育や音楽を通し、心と身体の調和や克己心などを学べる、と考えられていたのです。自らの意見を人々の前で演説するための修辞学も教えられていました。ドイツのエリート教育は古代ギリシアとも実は違っていたわけです。言語技術や礼儀作法を重く見たフランス教養人や、スポーツやユーモアを奨励したイギリスの紳士教育とは異なり、内面の陶冶に専心するという、歴史上極めて異色のものになりました。そこでは文化とはあくまで哲学や文学や芸術であり、科学や技術でさえ文明に属するものとして軽んじられたのです。

それに加えてフンボルトは、フランスやイギリスで栄えた啓蒙思想さえ斥けようとしました。啓蒙思想とは十七世紀後半のイギリスで、『リヴァイアサン』のホッブズや『統治論』のジョン・ロックなどに源流を発するもので、政治や社会に関する思想が主でした。十八世紀にはフランスに伝えられ、『法の精神』のモンテスキューや『社会契約論』のジャン・ジャック・ルソーなどが啓蒙思想を広めたため、フランスが啓蒙思想の中心となりました。やがてこれはフランス革命や共和制の思想的基盤となります。

フンボルトにとって、啓蒙思想のごときは英仏のものであり、政治や社会より文化が上位、啓蒙思想より教育が上位でした。その結果、内面の陶冶を目指すギムナジウムや大学から、そしてその卒業生から、政治や社会というものが世俗的なものとしてすっぽり欠落することになりました。

ベルリン大学の初代学長は哲学者のフィヒテでした。フィヒテは有名な「ドイツ国民に告ぐ」を講演し、民族意識の高揚を訴え、教育改革の道筋を示し、打ちひしがれた人々に勇気と希望を与えた人物です。このベルリン大学はすべての学問の上に哲学をおくという、教養大学の先駆的存在でした。より詳しく言うと、哲学部（哲学、古典、自然科学）を最上位においたのです。フィヒテは「教養のない者は賤民である」とまで言い切りました。

ベルリン大学を中心に、ドイツでは十九世紀初頭より、教養市民層と言われる階層が勃興してきました（詳しくは野田宣雄『教養市民層からナチズムへ』名古屋大学出版会、『ドイツ教養市民層の歴史』講談社学術文庫）。

彼等を特徴付けるものは三つあります。一つは大学教育を受けていることです。彼等の主たる職業は、大学教授、ギムナジウム教師、裁判官、高級官僚、プロテスタント聖職者などの国家公務員や、医師、弁護士、作家、芸術家、ジャーナリスト、編集者などでした。二つ目は、金銭とか功利を下に見ることです。先述のように、功利や実用に最高の価値をおくアメリカと正反対です。三つ目はプロテスタントということです。カトリックはどんな大学を出ていようと、初めからこの階層から外されました。貴族も初期には教養市民層に入っていましたが、後には省かれてしまいました。工科大学出身者さえ「パンのための学問」ということでやはり省かれたのですから、かなり排他的な色彩の強いものでした。

十九世紀を通してこの教養市民層がドイツ文化の担い手であり、情報の発信源としてほぼすべての世論を作っていました。国の主導権が、それまでの世襲貴族から出自によらない教養市民層へと移行したのです。しかしながらこの教養市民層も、次第に大学出の親が息子を大学に入れる、という形で世襲的になって行きました。

一％の教養市民層と九九％の大衆

ギムナジウムとそれに続く大学で知的に鍛え上げられた教養市民層は、専門的能力と教養によって社会の中心となり活躍しました。例えば一八四八年に開かれたドイツ統一のためのフランクフルト国民議会では、議員の八〇％が大学出身者、九五％がギムナジウム出身者でした。市民は少数の教養市民層と大多数の非教養大衆とに分断されました。実際、一八五〇年代になっても教養市民層は、市民の〇・七％程度に過ぎませんでした。全体の一％に満たない教養市民層がエリートとして国をリードするばかりか、九九％を占める大衆を見下す、という構図ができ上がってしまったのです。この分断を憂慮する人はほとんどいませんでした。

小さな領邦に分かれていたドイツを統一したのは、領邦の一つ、プロイセン王国のビスマルクでした。ベルリンを首都とし、ドイツ北東部からポーランド北部にあった一領邦に過ぎないプロイセン王国でしたが、鉄血宰相ビスマルクの富国強兵策が功を奏し、国土を大いに拡張しました。「現下の問題は言論や多数決……によってではなく、鉄と血によってのみ解決される」という有名な演説によりこの名がついたのです。言うまでもなく、鉄とは大砲や銃や軍艦、血とは兵士の流す血のことです。

ヴィルヘルム一世の下で首相兼外相を務めたビスマルクは、ついにはフランスを巧妙に挑発し、戦争（普仏戦争一八七〇—七一）に持ちこみました。天才的将軍モルトケを擁するプロイセン軍は、宿敵ナポレオン三世を捕虜にするなど圧倒的勝利を収めました。

機を見るに敏なビスマルクは、大勝利で高揚したドイツナショナリズムを利用し、占領したパリのヴェルサイユ宮殿で、ヴィルヘルム一世のドイツ皇帝戴冠式を挙行しました。これにより、ナポレオン戦争での屈辱を晴らし、一気に懸案のドイツ帝国を誕生させたのです。

ドイツ帝国になっても、教養市民層は効率性や倫理性の高さで世界に名だたる官僚政治を行い、国民はこれらエリートをその教養ゆえに信頼してついて行きました。「あの人たちにすべてを任せていれば間違いない」と大衆は疑いをもたず、実際、教養市民層はその期待に十分応えていたのです。

教養市民層がその力を発揮したのは、政治経済においてばかりではありません。十九世紀後半から二十世紀初めにおける、ドイツの絢爛豪華な文化、学問、芸術を牽引しました。解釈学のディルタイ、現象学のフッサール、『西洋の没落』のシュペングラー、『職業としての学問』や『職業としての政治』のマックス・ウェーバー、『ツァラトゥストラはこう語った』のニーチェ……と多士済々です。

科学では熱力学のヘルムホルツ、結核菌やコレラ菌発見のコッホ、相対性理論のアインシュタイン、量子論のマックス・プランク……と超弩級が並びます。数学ではワイエルシュトラス、カントル、クライン、ヒルベルト、と目も眩みそうです。一世紀前に、ゲーテ、カント、ガウスなどが築いた、力強いドイツ文化隆盛の再現がなしとげられたのです。

教養市民層が危うくなった三つの理由

順風満帆と思われた教養市民層に、十九世紀末から少しずつ危機が忍び寄っていました。理由は三つほどあります。

一つ目は工業化の進展とそれに伴う大衆社会の出現です。十九世紀中頃に、イギリスより一世紀近く遅れて始まったドイツの産業革命は、教養市民層にとって決定的でした。技術革新による、工場制手工業（マニュファクチュア）から工場制機械工業への転換が産業革命ですが、どの国でも社会構造を根本的に変えてしまいました。産業資本家や労働者が出現し、資本主義が形成されたのです。

農村から都市の工場に出て来る人々も多くなりました。彼等は、新聞などマスメディアの登場により少しずつ知識を身につけ、物事を批判的に見ることができるようになりました。ドイツでは男子普通選挙（年齢以外に制限を設けない選挙）が施行された（一八六七年）こともあり、大衆が自己主張をするようになりました。

教養市民層は、字も読めず無学で従順な農民という、自分達を盲目的に信仰してくれていた最大の支持母体を徐々に失っていったのです。

また社会主義の台頭もこれに輪をかけました。産業革命により資本主義、すなわち自由な経済活動が始まると、資本家と労働者の間に格差が生じたばかりか、自由競争により失業者も多く生じました。これを正し、より平等で公正な社会を目指そうというのが社会主義です。種類は色々で、経済を市場の動きにまかせず国家である程度統制しようという社会民主主義（北欧や小泉竹中政権より前の日本など）から、私有財産さえ認めない一党独裁のソ連型社会主義、私有財産も国家権力も認めない共産主義（未出現）などまであります。その頃、マルクスとエンゲルスが『共産党宣言』を出版（一八四八年）しました。彼等は資本主義社会を、ブルジョワジー（資本家階級）とプロレタリアート（労働者階級）の階級対立と特徴付け、当面の目標をプロレタリアートによる権力奪取としました。

私も高校生の頃にこの書物を読んで感銘を受けましたから、多くの人々がこれに影響を受けたのではないかと思います。国民の大半を占める労働者が階級としての意識に目覚め、教養市民層への一任を止め、独自に主張し始めたのです。

二つ目は科学技術の発達です。画期的な発明や発見を爆発的に生み始めた科学技術の興隆や、それと足並みを揃えた産業革命の目覚ましい進展により、それらを支える工科大学や実科ギムナジウムの重要性、すなわちそれまで低く見られていた実学の地位が高まってきたのです。相対的に人文主義の威信が低下して行きました。教養市民層そのものの地盤沈下が始まったのです。

三つ目は学問の細分深化です。諸学に親しみ「バランスある教養」を養うことが難しくなってきました。一つの学問に親しむだけでも多大な時間と努力を要するようになってしまったのです。教養市民層という階層の基盤の崩壊でした。この傾向は、この頃のドイツばかりでなく、今日に至るまで世界中で進んでいます。

教養市民層がお膳立てしたヒットラーの登場

このような状況変化の下、十九世紀末から第一次大戦（一九一四―一九一八）にかけては、ドイツ教養市民層にとって苦難の時代でした。先述のように、教養とか文化を政治経済や科学技術の上位に位置づけることが難しくなるのと並行して、少しずつ主導権を失って行ったからです。ドイツは、エリート官僚たちがすべてを前例に従い間違いなく取り仕切る、という世界に冠たる官僚国家でしたが、次第に社会の硬直化が見られるようになりました。弾力性が失われ、政治経済社会の新しい展開が生まれにくくなったのです。

こんな中で官僚主義を嫌悪し民主主義の衆愚政治化を憂えたマックス・ウェーバーは、『職業としての政治』の中で「指導者民主主義」というものを主張しました。大衆によって選ばれたカリスマ的指導者が官僚を操る、という政治です。

これは結果的にヒットラー出現の地ならしにもなりました。実際、ナチズムの根幹にある「指導者原理」はマックス・ウェーバーに連なるもので、指導者が被指導者に対して無条件の服従と忠誠を要求する思想であり、民主的に選ばれた指導者が絶対権力を握るというものです。ウェーバーもヒットラーも「指導者」を表わすのに同じフューラー(Führer)という単語を用いています。

このようにして、国の旗振り役としての立場を次第に失なって行った教養市民層は、産業革命による人間疎外からの救済として、民族文化をしきりに唱えるようになりました。これがフェルキッシュ運動(民族運動)と呼ばれるものです。民族というものを強く意識し紐帯を強固にすることで、近代の人間疎外から免れようという理論ですが、これはすぐに反ユダヤ主義につながりました。


影響力の低下を憂う教養市民層は第一次大戦を、自分達の陥った閉塞状況を打破し、地位と力を取戻す絶好の機会と感じたのか、フェルキッシュ運動をさらに声高に唱え戦争を煽ったのです。フェルキッシュ運動は教養市民層にとって、プロテスタント、教養に次ぐ第三の品質証明となりました。

これは彼等の目論見どおり、工場の歯車の一つとなり果て疎外感に苦しむ国民の間に一気に広がりました。第一次大戦後のナチズムにも直接つながりました。

かいつまむと、教養市民層という一般大衆から隔離された一握りの集団は、意識的ではないにせよ、沈下した自分達の存在理由を回復するため民族主義を高らかに唱え、それを用いて第一次大戦では戦争を煽り、戦後には反ユダヤ主義にまで進み、ナチズムへのレールを敷いたのでした。

教養市民層は、戦争の抑止力どころか、結果的にはそれを煽り、ヒットラー出現のお膳立てまでしたのです。教養は一部の人々の生き甲斐、あるいは自己満足となっていましたが、一般大衆の批判力向上の糧にはなっていませんでした。

産業革命を経た十九世紀末から、ドイツでは大衆の精神的空隙《くうげき》に、まずマルクス主義が、次いでフェルキッシュ運動、そしてついにナチズムが怒濤のように入りこんだのです。

イギリス貴族の桁違いぶり

同じ西欧の国、イギリスでも似たような現象は起きたのでしょうか。一言で言うと起きませんでした。これはドイツ特有の現象だったのです。

イギリスはよく知られたように、現在に至るまで階級社会です。イギリスの世襲貴族の数はヨーロッパ大陸の国々と比べてはるかに少なく、たった数百家族です。王室を頂点として世襲の公、侯、伯、子、男爵および一代男爵より成り立っています。家族も含めて貴族ですが、伯爵などと名乗れるのはその家の家長だけで、その爵位は世襲貴族の場合、最年長の男子が引き継ぎます。

一代限りの男爵とは、出自に関係なく、首相、国会議長、最高裁判所長、政党幹部など、国家への貢献度の高い人に与えられます。サッチャー元首相がなったように女性でも男爵になれます。貴族の呼称はロード（Lord）で、貴族院（the House of Lords）の議員になれます（世襲貴族は九十二席まで、一代貴族は全員）。

大規模な地主層でもある世襲貴族の下にはかつて、ジェントリー（郷紳）と呼ばれる比較的に小規模な地主層がいました。小規模といっても桁違いです。十九世紀初頭のイギリスでは、三百家族ほどの貴族が国土の四分の一を所有し、全人口の三％ほどのジェントリーが国土の半分を所有していました。余程の土地持であることが想像されますがその通りで、貴族は最低でも一人当り千二百万坪、ジェントリーでも一人当り百二十万坪は所有していたと言われます。貴族は山手線内ほど、ジェントリーは東京ドーム百個ほどと思えばよいでしょう。

イギリスのケンブリッジに住んでいた頃、家主はジェレミーという人でした。家の細かな不具合の修理など何度も親切にしてくれたので、ある晩ディナーに招びました。借り主からディナーに招ばれたのは初めてだった上、女房がお礼にバッハの「イタリア協奏曲」をピアノで弾いたので、感激していました。彼が医者で、離婚した妻との間に二人の幼い子供がいることをこの時知りました。「どうしてケンブリッジに住んでいるのですか」「亡き父親がケンブリッジ大学で生化学の研究をしていたので」「ケンブリッジの研究者ならよほど優秀な学者だったのでしょうね」「一応、ノーベル賞を貰っています」。一九七八年に化学賞を貰ったピーター・ミッチェルでした。女房と私は仰天しましたが、彼も嬉しそうでした。マナーにうるさい英国紳士は自慢したくともできないので、私に聞いてもらって嬉しかったのです。

「奥さんはどんな方でした」「ホーカム・ホールの娘でした」。また仰天しました。少し前に訪れた貴族の館だったからです。正門から一キロ余りも奥の館は宮殿のようで、バルコニーから外を見ると、幅五メートルほどの小川が延々と蛇行していて、はるか遠くの草地を鹿の群れが走っていました。ゴルフをしている人も見えました。生まれて初めて見る、途方もなく広い緑に囲まれた貴族の館に、度肝を抜かれたばかりだったのです。

これら上流階級がこれだけの土地を占めるのですから、国民の九七％に残された土地は全体の四分の一しかありません。ジェントリーは家柄や所得に応じて上からバロネット（準男爵）、ナイト（騎士）、エスクワイア（従騎士）と呼ばれました。バロネットとナイトは現在もあり、サッチャー元首相の夫はバロネットで、ビートルズのポール・マカートニーはナイトです。

ジェントリーに対しては、ロードと呼ばれる貴族と違ってサー（Sir）という呼称が用いられます。女性の場合はデイム（Dame）です。私のケンブリッジ大学での友人は、私の帰国後、その学問的業績や大学学長としての活躍によりナイトとなりました。その直後に彼は東京の我が家を訪れました。とてもうれしそうでした。その数年後には国家の科学行政への功績により一代男爵になりました。呼称はサーからロードになりましたが、私は面倒ですし彼もそれでよいと言うので、昔も今もファーストネームで呼んでいます。

また私の知るケンブリッジ大学教授はある時、教授を辞し、ロンドンの王立研究所長に就任しました。名誉あるケンブリッジ大学教授の地位を捨てて管理職についたのは、それまでの歴代所長が退任後に皆サーをもらったから、というのがケンブリッジでのもっぱらの噂でした。「真理を探究する学者が本当にサーなんかを欲しがるの」とある同僚に聞いたら、「本音では皆、サーをもらいたいと思っている」と答えました。功成り名を遂げた人々にとって、サーは今も魅力的のようでした。

ニュートン家のリンゴはまずかった

さてイギリスでは、ルネサンスの頃から、貴族とジェントリーが上流階級を作っていました。貴族院議員になれるかなれないかの違いを除き、両者に特権の差はなく、社交界を通じての通婚もしばしばありました。

ジェントリーは貴族同様、土地所有者として不労所得で優雅な生活を送っていましたが、地方の行政職や治安判事などの官職を無給で進んで引き受けました。中央官庁へ人材を送ったり、慈善事業に積極的に取組み地域社会に貢献したり、戦争があれば自ら率先して戦場へ赴きました。先述したノブレス・オブリージュ（高貴な者の義務）です。地方の名望家でした。逆にこれがあったから、ドイツとは違い長い年月、ジェントリーは地方の民衆の保護者と敬われ、ジェントリー支配が維持されたのです。

貴族・ジェントリーは宮廷、内閣、議会といった中央の政治機構を独占し、地方政治をも牛耳りました。貴族制（アリストクラシー）とは、このような貴族・ジェントリーによる、社会の様々なレベルにおける寡頭支配のことです。ただしイギリスの場合、硬直しがちな階級社会に一定の流動性もありました。長子相続制の下、貴族・ジェントリーの次男や三男は、一定の分与金を長男から受け取り、聖職者になったり、実業界、官界、陸海軍などに転出しました。

　長男であっても甚六で、大きな土地を維持できず貴族から脱落する者もいました。そのうえ一般人でも事業で大成功した者は、大きな土地を買ってジェントリーに成り上がることもできたのです。

　ジェントリーの主たる仕事はあくまで領地の農業経営でしたが、同時に地方名士でもあり、資本家として産業革命も支えました。このジェントリーの企業家マインドは、イギリスで産業革命が先行した原因の一つとされています。

貴族・ジェントリーが、代々伝わる広大な土地や屋敷を維持するのは大変な経費がかかります。特に現代では相続税も気の遠くなるような額となります。そこで今日では彼等の多くは、企業家マインドを生かし、一部をホテルにしたり有料で屋敷を公開したりと不動産を活用した事業を行なっているようです。ダイアナ妃の実家スペンサー伯爵家も、ノーザンプトンにある山手線内ほどの屋敷を、ナショナル・トラストという歴史的建築物の保護を目的とする慈善団体に委託し、大邸宅の一部を有料公開しています。ロンドンにある別邸は財閥ロスチャイルドの会社に賃貸し、数多い所有美術品は少しずつ売却しているそうです。

ウィンストン・チャーチル元首相の生家であり、後半生を過ごしたブレナム宮殿は、もともとマールバラ公爵邸であるだけに、敷地は東京ドームの百七十三倍もあり、フレンチ庭園は美しく、バロック風の建物も豪華です。世界遺産になっているので見物客も多く、一人四千円の入場料ですから安泰のようです。結婚式場としても使われていて、私の友人のお嬢さんは英国人と結婚してここで式を挙げました。

ニュートンの生家もナショナル・トラストに属します。この庭には古いリンゴの木がありあます。この木の下で読書していたニュートンの頭にリンゴが落ち、万有引力発見につながったという木ですが、恐らくユーモアでしょう。このリンゴを管理人の許可を得て一つもいで食べました。これまでに食べたリンゴで最もいびつで最もまずいものでした。ニュートンが生まれた時には父親は他界しており、母親は幼いニュートンをおいて隣村の司祭と再婚してしまいました。寂しかったニュートンが祖母とこの家でこのリンゴを食べていた、と考えると涙を誘われます。生家から、母親の住む教会の尖塔が、背伸びしても見えなかったので救われた思いになりました。

大衆を見下さなかったイギリス貴族

イギリスのジェントリーは、ドイツの教養市民層と違い宗教を見下すことがなく、大衆とともに英国国教を奉じていました。そもそもジェントリーの学ぶオックスブリッジ（オックスフォード大学とケンブリッジ大学）は、創立以来、十九世紀中葉まで聖職者養成を主とする教育機関だったのです。

先ほど、事業で成功した者が大きな土地を買い、田舎に引っこみ、ジェントリー（後にジェントルマンに変遷）に成り上がることもあると書きましたが、そのためには広大な土地に加え品性や教養も条件として求められていました。より詳しく言うと、あらゆる知的活動の基礎としてギリシア・ローマの古典教養と数学、それにジェントルマンのトレードマークであるバランス感覚とユーモア、さらには徳性としての公正、自制、勇気、忍耐、礼節、寛大などです。徳性については日本の武士道と酷似しています。

従って都市の富裕な実業家などは、将来の成り上がりを視野に、その子弟を競ってジェントルマン養成機関とも言えるパブリックスクール（私立名門中高等学校）や、さらにその上のオックスブリッジへ通わせようとしました。

庶民に敬われる地方名士となったジェントリーの教養、バランス感覚、ユーモア、慣習、好み、生活様式、作法などは、次第にイギリス人一般の手本となって行ったのです。これは十九世紀半ば以降、産業革命後の工業化に伴いブルジョワ階級（産業資本家、経営者、銀行家など）が興隆した後も変わりませんでした。

ブルジョワ階級の実学思想や「成功物語」は、成り上がり者のタワ言として一顧だにされなかったのです。アメリカと正反対です。英米は兄弟国とよく言われますが、考え方はまったく異なる、しばしば正反対の国です。

例えばアメリカ人は新しい家や道具が好きでイギリス人は古い町や家や道具が好きです。アメリカ人は誰かが自慢するのを聞いても、自分の気持ちに忠実として容認します。

一方のイギリスでは、少なくともジェントリー（現代はジェントルマン）にとって、自慢は醜悪以外の何物でもありません。

ケンブリッジで私の学生から自慢話を聞いたのはたった一度だけで、「僕の家では曾祖父の作った食卓を今も使っている」というものでした。少し恥ずかしそうでした。古いものは価値が高く、曾祖父が作ったものを今なお尊重する、というのも立派な家風の証なので自慢なのです。

一方、資本主義によって新しく経済的実力を蓄えた資本家など有産階級は、国家の統治は生まれながらの支配者であり、充分な教養を持ち合わせた貴族やジェントリーに委託するのがよいと考えていたのです。

イギリスの貴族・ジェントリーは、ドイツの教養市民層と同様、国民を寡頭支配し、充分な教養をも持ち合わせていました。しかしながら、ドイツの教養市民層のように大衆から遊離していたのではなく、むしろ大衆のお手本となっていたという点で大きく違っていました。

バランス感覚とユーモア

これは両国に大きな違いをもたらしました。とりわけ貴族・ジェントリーのバランス感覚とユーモアは、論理を一直線に猪突猛進し勝ちなドイツに比べ、イギリスの政治的成熟をもたらしました。

ユーモアを生むには、いったん自らを今ある状況から一歩だけ退き、永遠の光の中で俯瞰するということが必要です。これは現況への没入を忌避するということであり、バランス感覚につながります。イギリスはドイツのように行け行けドンドンにはならないわけです。イギリス人には「他人と違うことは格好いい」という文化がありますが、これは自分が付和雷同していない、バランス感覚を保っているという証拠だから格好いいのです。

イギリス人は今も、論理や理屈を余り信用しないばかりでなく、何か特定の原則や主義に従う、特定の教義に従う、ということにほとんど本能的な危うさを感じています。現実をよく見つめながら、バランス感覚に従って行動します。「原理」や「原則」より「現実」なのです。だから時には清濁併せ呑むようなこともあり、他国から見ればずるがしこい政策をとることもあります。

例えば常にアメリカとヨーロッパの中間に絶妙のバランス感覚で立ち、巧く立ち回ったり、ヨーロッパの一国が強大になりそうになると二番手や三番手の国と同盟を結び牽制する、という狡猾な外交を得意とします。しかしイギリス人はフランス人を、「現実を忘れ抽象的な論理に口角泡を飛ばす」と笑います。常に論理的なドイツ人については こう言って笑います。「ドイツ人はどんな小さな過ちも犯さない。犯すのは最大級の過ちだけだ」。

イギリスのエリート階級であるジェントルマン（かつては貴族やジェントリー）の品質証明は、昔も今もユーモアであり、これが他国のエリート階級との大きな違いです。一言で言うと、ユーモアの有無がイギリス教養市民層と、ドイツ教養市民層との違いだったと言えるのではないでしょうか。今もイギリスの大きな本屋にはユーモアというセクションがあり、大量の本が置いてあります。ドイツの本屋にはそんなセクションはありません。ユーモアの有無という一見些細な違いこそが、ドイツと違いイギリスに、これまで独裁者や世界征服を目指す指導者が出てこなかった原因ではないでしょうか。

教養市民層を攻撃したヒットラー

教養市民層と第二次大戦との関わりを見てみましょう。第一次大戦では一介の伝令兵に過ぎなかったアドルフ・ヒットラーが、大戦後に政界へ進出しました。天才的な、過激な、扇動的な演説によりめきめき名を挙げました。終戦の早くも二年後の一九二〇年には、「国家社会主義ドイツ労働者党（ナチス）」を発足させ、翌年にはその議長となったのです。三十二歳という若さでした。

大戦後のドイツには、十九世紀末から盛んになったフェルキッシュ運動（民族運動）の流れを汲み、国家主義や反ユダヤ主義を掲げる小政党が、雨後の筍のごとく乱立していました。ヒットラーがまず手がけたのは、自分達に近い政見を持つこれら政党を一つずつ壊滅させることでした。自分達に近い政党とはとりあえず手を組み、敵対的な政党を潰しにかかるのが普通なのに、まず近い政党を壊滅させるというのですから、すでに天才的政略家です。

一九二三年にはクーデター未遂事件（ミュンヘン一揆）を起こし、半年余り刑務所に収監されました。ここで、かの『我が闘争』は書かれました。自伝的内容と政治的世界観が述べられていますが、真理を鋭く突いた部分と、呆れるばかりの単純化とが混じりあった扇動の書です。

ヒットラー時代、ドイツ国民のバイブルのような本でしたが、第二次大戦後、ドイツでは発刊禁止となりました。ヒットラーの死後七十年ということで著作権の切れる二〇一五年十二月三十一日を待って、出版されるかどうか見物でしたが、二〇一六年一月に学術的注釈だらけの『我が闘争』が出版されました。よく売れているようです。私は本書を書くにあたり、『わが闘争』（角川文庫）を初めて読みましたが、電車の中で読むのがためらわれたので自宅で読みました。食卓に読みかけの本を見つけた息子が、「お父さんどうかしちゃったの」と心配そうな目で私を見ました。

アーリア人種が文化創造者、日本民族は文化伝達者、ユダヤ人は文化破壊者などと、妄想のようなことを言っています。アーリア人が最優秀であることを証明する上で、古くから偉大な文化を産み出し、近代工業においてもめきめき頭角を現わしている日本民族がよほど邪魔だったのでしょう。数箇所で日本を侮蔑する叙述があります。戦前の日本語訳では、三国同盟への配慮からこういった部分は削除されていたようです。

ヒットラーがこの本で執拗に攻撃したのは、ユダヤ人とともに教養市民層でした。下級税吏の息子として生まれ、貧しいうえにギムナジウムに入るだけの学力にも恵まれなかったため、実務学校へ行かざるを得なかった、というコンプレックスもあったのでしょう。教養市民層の人間は、たとえ自分達より有能であってもギムナジウム出身でない限り見下す、などと書いています。

ヒットラーは、ナチスの指導層に当初多くいた教養市民層を追い出さないと運動は潰れてしまう、党が文学的サロンに成り果ててしまう、教養市民層とは「精神」だけで「拳」のない人々だ。現に十九世紀末以来、フェルキッシュ運動は、何も達成できなかったではないか。彼等は意志と決断を欠いた閉鎖的カーストに過ぎない。要するに無能なのだ、と書き立てました。

コンプレックスが根にあるのでしょうが、この部分はなるほど歯切れよく一面の真理を突いていて、今読んでいてもある種の説得力を感じます。論理的展開も見事です。このような威勢のいい啖呵に、元々反ユダヤ感情が強く、第一次大戦での屈辱的敗北や、庶民生活を襲いつつあるハイパーインフレなど、ぶつけどころのない不満を抱えていた大衆が飛びつきました。『我が闘争』は鬱屈のカタルシス（浄化作用）としての役目を果たしたのです。この本が教養市民層以外の人々、すなわち大多数の国民の精神的空白を見事に満たしたのです。

教養なき国民による民主主義が狂った独裁者を生んだ

実際、ヒットラーは教養市民層出身の幹部を片端から追放しました。中間層や下層出身のヒットラー信奉者により、ナチスは指導されることになりました。こうしてナチスは、ヒットラー信奉者となった国民の圧倒的支持の下、そのまま第二次大戦まで突っ走ったのでした。

ナチスのような政党が生まれ、短期間で著しく勢力を伸ばしたのは、第一次大戦後のドイツ、「ワイマール時代のドイツ」が民主主義国家だったからです。ワイマール憲法は主権在民、男女平等の普通選挙、議会制民主主義をうたった画期的なものでした。その民主的な選挙で一九三二年、ナチス党はついに第一党となります。

ドイツは第一次大戦後の極めて懲罰的なヴェルサイユ条約により、軍用機、潜水艦、戦車を持ってはいけないなど軍備を徹底的に制限されていました。ヴェルサイユ条約を破棄し強力な再軍備を始めるため、ドイツは一九三三年に国際連盟を脱退します。

この際の国民投票では九五%の支持を得ました。一九三六年に、ドイツの工業地帯でありながら非武装地帯とされていたラインラント（ライン河沿岸地方で、ベネルックス三国やフランスと国境を接する部分）に進駐した時は九八%の支持でした。一九三八年にオーストリアを併合した時は何と九九％の支持を受けました。ヒットラーは国民の圧倒的支持を集めた民主主義の申し子だったのです。

人々の心をつかむことにかけては天才的なヒットラーの、威勢のよい演説に国民は歓呼の声を挙げたのです。今日の日本でも、ミニチュア・ヒットラーのごとき政治家が時折いて、いかに軽薄であろうと人気を博します。長くは続きませんが。教養なき国民による民主主義ほど恐いものはないということです。

ドイツのように偉大な国が、こんなことになってしまった大きな一因は、教養が一部の人々に専有されていたうえ、彼等がそれ以外の国民から隔絶されていたことです。そのためこれら一部の人々が無力化された瞬間に、国民の意志によりすべてが決まる民主主義国家は、歯止めなき暴走状態に陥ってしまいました。教養というものが、一部エリートの生き甲斐であったとしても、一般大衆の生き甲斐となるようなものではなかったこと。さらには一般大衆との差別化の手段ともなっていたこと。そして何より民主主義を採用していたことに暴走の大きな原因があったのです。

マイナスに働いた政治に対する嫌悪感

実はもう一つ重大な原因がありました。十九世紀初めにフンボルトにより作られたベルリン大学が教養を柱とする大学であったことはすでに述べました。

ドイツ流教養とは先述しましたように、ギムナジウムや大学でのひたすら政治や社会から隔離された教育により培われたものでした。従って教養市民層は非政治的かつ非世俗的で、政治や世俗に対する嫌悪さえもっていました。ここで言う政治とは、政治思想や政策というより現実の政治を動かしている力学、すなわち権力闘争や利害闘争などのことです。世俗とは人間を動かしている力学、すなわち義理、人情、嫉妬、怨恨、欲望などのことです。文化対文明の闘争という統一的解釈に陶酔した教養市民層は、現実をよく見ずに第一次大戦を熱狂的に支持してしまったのです。

ヒットラーに対しても教養市民層は、自分達の言い出したフェルキッシュ運動の強力な担い手として、当初、多くは支持、あるいは容認の態度をとっていました。ヒットラーのなりふり構わぬ権力闘争ぶりや、強権的手法を見ようとしませんでした。フェルキッシュ運動の拡大版としての「世界に冠たるドイツ」へ邁進する姿にまたもや陶酔し、現実を見ようとしなかったのです。

学問というのは、原理原則から出発して個別事象を統一的に解釈しようとするものですが、政治というのは一つ一つの事象が、多くの人間の利害、権力欲、嫉妬、面子などが複雑に絡まった個別事象であり、学問的アプローチではなかなか本質が見えません。そこで常にバランス感覚を保ち、一つの考えにのめりこまない姿勢が必要となります。

ロジカル・イディオット

ヒットラーが余りにも熱狂的な国民の支持を受け、余りにもドイツの優越を強調し、余りにもユダヤ人を追いこみ、余りにも軍事力増強に走り、となればとりあえず「待てよ」となるのがバランス感覚です。これがドイツ人に欠けているのが裏目に出ました。

私がアメリカの大学で教えていた頃、周囲に一見論理的であるけれど現実や本質をよく見ないで、口角泡を飛ばす人々をよく見かけました。私は彼等を「ロジカル・イディオット（論理的バカ）」と呼んでいました。この造語を友人達は面白がっていました。

アメリカやフランスにロジカル・イディオットが多いのに対し、ドイツにはロマンティック・イディオットが多いと思います。何か美しい原理や原則に陶酔すると、バランス感覚を失い、突っ走ってしまうのです。第一次大戦前の「フェルキッシュ運動」、大戦時の「文化対文明」、第二次大戦に至る時期のヒットラーによる「世界に冠たるドイツ」、戦後の「贖罪意識」などがよい例です。ここでの贖罪意識とはホロコーストなどに対する罪悪感で、当然持つべきものですが、それに酔ってしまっています。贖罪意識から、国家やマルクが悪いのだと考え、EUとユーロを作り、二度と差別をしないとの決意からメルケル首相はシリア難民の無制限受け入れを唱え、ヨーロッパを大混乱におとしいれました。

英国がEU離脱を決めたのも、現実を見てバランスをとる、ということのできないドイツと同じ舟に乗っていては、生きた心地がしないと考えたからです。恐らく世界で最もバランス感覚を持っているのはイギリスです。イギリスのエリート教育ではスポーツやユーモアをとても大事にします。スポーツ活動を通してフェアー精神や協調心、克己心や忍耐力などを学び、ユーモアを通してバランス感覚を培います。

ドイツの誇る教養市民層が、古典や哲学で人格の陶冶に励んだにもかかわらず、両大戦を押し止める上で無力だった理由について、これまで述べたことを三つほどに要約してみます。一つは、教養市民層が国民のごく少数にすぎなかったため権力により簡単に沈黙させられたこと。二つ目は教養が古典と哲学に偏っていて政治や社会や実生活から隔離されていたため、政治思想は理解しても、権力闘争や利害闘争、権謀術数といった政治力学を理解できなかったこと。また人間を内部から動かしている義理、人情、欲望、嫉妬、面子など、人間力学にも疎かったこと。三つ目に、国民的宿痾とも言えるバランス感覚の欠如です。

斬新な学問や芸術を産み出すためには、バランス感覚よりまっしぐらな突破力の方が断然大切と思います。だからドイツは学術や芸術で秀でた業績を挙げてきました。ところが、政治ではまっしぐらな突破力よりバランス感覚の方が文句なしに大事です。ドイツのユーモアやバランス感覚の欠如は、ＥＵ運営や難民問題に見えるように、今も濃厚に残っています。これに反し、バランス感覚を誇るイギリス外交は、「やや狡猾」であるとは言え、概して危な気がありません。ドイツ教養市民層とイギリス教養市民層は対照的で、これがここ一世紀余りの両国のたどった運命に表われているような気がするのです。ドイツ的教養の危うさが見えてきます。

第五章　教養と日本

日本の教養層は、維新を経て、昭和の軍国主義跋扈までの間、どんな状態にあったのでしょうか。我が国は明治維新の頃から、多くの点でドイツを規範としてきました。無論、海軍がイギリスに、明治初期の陸軍がフランスに学んだといった例外もありますが、大日本帝国憲法や大学制度をはじめ、数多くの設計において威勢がよかったドイツを手本にしました。普仏戦争（一八七〇―七一）に勝ちヨーロッパ最強となっただけでなく、ヴィルヘルム一世を皇帝にいただき多くの領邦を統一したばかりのドイツ帝国は、天皇をいただき多くの藩を統一したばかりの日本と、状況がよく似ていたからです。

教養どころではなかった幕末維新期

ドイツの学制を手本にしたこともあり、日本の教養層もドイツと同じく学生エリート層から生まれました。明治に入るやすぐに現れたわけではありません。幕末維新の頃は、虎視眈々と全地球の分割統治を狙う、欧米の植民地主義が真っ盛りでした。我が国にとって、できるだけ速やかに政治経済社会の体制を整え、欧米の科学技術を吸収し、軍制を整備することが、植民地化を免れるための第一の課題でした。幕末のどさくさに押しつけられた不平等条約を改正することも、焦眉の急でした。建国以来の激動の中で、教養どころではありませんでした。

その頃の青年を特徴付ける言葉は「お国のため」です。日本中の人々はお国のために力を尽くしたいと考え、青年達は「青雲の志」を抱きました。雲の上にある大きな青い空を見つめ、坂道を振り返ることなく、前だけを見つめて登って行きました。司馬遼太郎氏の『坂の上の雲』は、四国松山出身の秋山好古、秋山真之、正岡子規の「青雲の志」を描いたものでした。好古は陸軍騎兵部隊を作り、世界最強のコサック騎兵部隊に伍するところまで育て、実弟の真之は連合艦隊司令長官東郷平八郎の作戦参謀として、日本海海戦勝利の立役者となりました。真之と幼なじみの子規は、俳句誌「ホトトギス」創刊や『歌よみに与ふる書』で、俳句や短歌を革新しました。

この三人の如き有名人だけでなく、多くの青年は「男子志を立て郷関を出ず。学もしならずんば死すとも帰らず」の言葉通りに、故郷を出て上京し、あるいは日本を出て海外へ留学しました。明治九年生まれの高野辰之が作詞した尋常小学唱歌「故郷《ふるさと》」の一番は、有名な「兎追いし彼の山　小鮒釣りし彼の川……」ですが、三番は「志を果たしていつの日にか帰らむ……」です。それぞれの立場と力量で、少しでもお国のために貢献しようと、無我夢中で頑張ったのです。

目標を失って彷徨し始めた青年たち

日清戦争（明治二十七―二十八年）、日露戦争（明治三十七―三十八年）に勝利すると、幕末以来の目標がある程度達成されてしまいました。二百数十年もの長きにわたって鎖国をしていた極東の小さな島国が、たった四十年ほどで世界の列強に仲間入りしてしまったのです。

アジア、アフリカ、中東、中南米と世界中が実質的に欧米の植民地となる中、日本だけが確固たる独立を手にしました。「お国のため」という張り詰めた気持ちが薄れてしまいました。

大目標を失った青年層の関心は、「末は博士か大臣か」に表わされる立身出世や天下国家から次第に離れ、方向感覚を失ったまま彷徨し始めました。放蕩に走る者がいれば、文学に向かう者、あるいは滝のそばのミズナラの木肌に「巌頭之感」を彫り残し、日光華厳の滝に飛び込んだ藤村操のように、内省にこもってしまう者もいました。父親が南部藩士で後に屯田銀行頭取、叔父が歴史学者那珂通世という良家出身の秀才藤村操が、「万有の真相は唯だ一言にして悉《つく》す、曰く、『不可解』」の言葉を残して投身自殺したことは、多くの青年に多大な衝撃を与えました。実際、明治三十六年の藤村操の死後四年間で、同所で自殺を図った者が百八十五名にも上ったのです。

岩波書店を創業した岩波茂雄は一高で操の友人だったこともあり、自身も死のうと覚悟し野尻湖の小屋に四十日間こもりましたが、故郷の諏訪から駆けつけた母親に説得され、やっと山を下りました。操の死の数日前、一高での英語の授業で操を叱責した漱石も、尋常ならざるショックを感じたようで、『草枕』にも『吾輩は猫である』にも操の死への言及があります。また親友だった安倍能成は、後に操の妹と結婚しました。

たった一つの投身自殺が死後長く、これほどの影響を青年達そしてインテリ層に与えたのは、彼等が等しく方向感覚を失ない、精神的にさまよい始め、内向的かつ哲学的になり始めていたからでしょう。大正に向かっての、教養主義の幕明けでもありました。

ドイツと同様、学生エリートを産み出す装置として旧制高校があり、日本の教養層もそこから生まれました（詳しくは『日本型「教養」の運命』筒井清忠著、岩波現代文庫）。

新渡戸稲造の影響

日露戦争の終わった翌年、明治三十九（一九〇六）年に旧制一高の校長として赴任してきた新渡戸稲造の影響が決定的でした。明治三十三年に英語で著した『武士道』が独仏語にも訳され（邦訳は明治四十一年）、国際的名声を博した彼は、古今東西の名著に通じた教養と思索、豊かな国際経験などで学生達を感化し、在任七年間で一高の校風を一変させてしまいました。

札幌農学校（北海道大学の前身）にあった英書を全て読破したと言われるほどの読書家で、後に米独に留学した新渡戸の西洋的教養は、当時の日本では図抜けたものでした。『武士道』は日本の道徳の高さを世界に知らしめ、そのお陰もあって、一九〇二年の日英同盟成立に漕ぎつけました。一九〇四年に始まった日露戦争での戦費調達のための起債、一九〇五年の日露ポーツマス条約成立などへの一助ともなりました。

一高生だった和辻哲郎が、「わたしたちはただその弁舌に魅せられて、うっとりして聞いていた」と言うほど、皆が新渡戸校長に心酔していました。世俗的名誉や立身出世ではなく、教養を通しての人格陶冶に目標をおくという教養主義です。これは大正時代になって、一高生として新渡戸の謦咳に接した和辻哲郎、阿部次郎、河合栄治郎、森戸辰男といった論客の著作により広められ、一高から他の旧制高校にも伝わっていきました。

武士道精神を世界に向けて称揚していた新渡戸稲造が、校長として赴任するや、それまで一高で支配的だった武士道的儒教的な修養から、古今東西の文化に出来るだけ多く触れるという教養に舵を切りました。それまで一高の講堂正面には、訓育のためということで、文人の象徴として菅原道真、武人の象徴として坂上田村麻呂の肖像画が掲げられていたのです。

幕末生まれで南部藩士の子だった新渡戸にとって、武士道という形は身体に刷りこまれているもので、当たり前すぎて強調するまでもないと考えたのでしょう、一高の教育では置き去りにされました。学生達は明治二十年以降に生まれた、武士道精神からかなり遠くなっている若者たちでした。

立川文庫と講談倶楽部

日清日露の戦役後に、大目標を失ったのは青年だけではありません。この二つの戦争は、欧米の得意とする弱い者いじめとは根本的に異なり、日本よりはるかに巨大な国土と軍隊を保有する強国相手の、文字通り国家の命運を賭けた戦争でした。全国津々浦々のあらゆる階層の国民が一人残らず、一丸となり火の玉となって向かって行ったおかげで、どうにか勝利し、我が国の独立は保持され、不平等条約も改正されました。幕末以来の大目標を失った国民の虚脱は大きなものでした。

この精神的空隙を埋め、弛緩した精神を引き締めると同時に、国民に道徳、活力、夢、そして慰安や愉しみを与えようとする動きが出版界に生まれました。

明治四十四年に立川文庫が、姫路出身の立川熊次郎により発刊されました。小学生から中学初年級向きの叢書で、大正時代を通じ刊行は二百冊を越えました。猿飛佐助、霧隠才蔵、水戸黄門、大久保彦左衛門、真田幸村、宮本武蔵……架空や実在の人物がぐいぐいと人を魅きつける筆致で書かれていました。

十銭ほどで買えたうえ、古本に三銭を加えると新本と取り替えられるという画期的システムでしたから、小中学生に大流行しました。私の父・新田次郎は、「中学校の初年級までは立川文庫で育てられた」とよく言っていました。買えない時は、中学校の帰りに上諏訪の本屋でハタキで追われる直前まで立ち読みし、完読したそうです。少年だった湯川秀樹、川端康成、大岡昇平、吉川英治、松本清張なども立川文庫の大ファンだったと言われています。

私も小学校高学年の頃、父の生家で、廊下の上の壁に作り付けられた長さ七メートルほどの長い本棚に、『ラジオの直し方』など大正時代の本と一緒に立川文庫が並んでいるのを見つけ、何冊かを読みました。余談ですが、そこにはサンガー夫人の『産児調節論』もありました。これを読み感激した祖父は、村人に今後の日本における産児調節の大切さを懸命に説きました。大した効果はなかったそうです。祖父には九人の子供がいたからです。

同じ明治四十四年に、発足したばかりの講談社が、大人向け講談を軸とした雑誌「講談倶楽部」を発刊しました。発行人の野間清治はこう語りました。「沢山ある講談のある種のものを読物にしたら、民衆教育の絶好の資料となる……これらは悉くみな面白く、分り易く、感激的なものばかりである……読書力も文章力も学識も……養うことができる」。

立川文庫、講談倶楽部のどちらも講談であり、講談の根っ子には、武勇、正義、惻隠、卑怯を憎む心、忠孝など武士道精神の中核が息づいていました。『ドン・キホーテ』にも通じる権力や権威への抵抗、揶揄、風刺が隠されていたりして、何より涙と笑いがあります。小中学生にとっては、生き方やユーモアを学ぶ教材であると同時に、より本格的な読書への地ならしともなっていました。道徳教育であり人間教育でもあったので、徳富蘇峰が講談社を、「私設文部省」と評したほどでした。

祖父の家にあった立川文庫で講談本の味を覚えた私は、講談社がその頃刊行し始めた『講談全集』全四十五巻を次々に買っては読みました。『堀部安兵衛』『由井正雪』『塚原卜伝』『幡随院長兵衛』『赤穂義士銘々伝』『夕立勘五郎』……。

講談は史実から生まれた巷説が源で、大江戸八百八町や商工業賑わう上方などの庶民の口から口へと伝わったものですから、史実に尾鰭がつきまくっています。庶民の手で作られ、大道芸の辻講釈や寄席で広まり、人気のあるものは歌舞伎や人形浄瑠璃となったりしました。

教養層向けも負けていません。大正二年には、恐らく立川氏や野間氏と同じく、日清日露後の精神的虚脱を埋めようと、諏訪出身の岩波茂雄が岩波書店を開きました。漱石の『こころ』を皮切りに、その後の教養主義の要となる、阿部次郎『三太郎の日記』、倉田百三『愛と認識との出発』、和辻哲郎『古寺巡礼』、西田幾多郎『善の研究』などを出版しました。これらは岩波書店から出版されたので岩波文化と呼ばれたりします。

こうして、少年に立川文庫、大衆に講談倶楽部、教養層に岩波文化と出揃いました。立派な三人の出版人でした。ただ、これ以降少しずつ、講談などを中心とした大衆の教養と、哲学や思想や西洋古典を中心とした教養層の教養とが乖離して行きました。

高等遊民の誕生

教養層は概して順調に拡大しましたが、さざ波も立っていました。旧制高校の卒業生は全員が帝国大学へ進学する、というのが原則でしたから、両者の人数は常にほぼ一致していました。ところが旧制中学の数や定員はどんどん増加しました。そのため旧制高校に進学できず、家で読書でもしながらブラブラしている旧制中学卒の若者が明治三十年代の頃から増えてきました。高等遊民の誕生です。そのようなことをしていられる余裕のある家庭の子弟が多かったせいもあります。

また旧制高校や帝国大学の数もゆるやかですが増えましたから、大学を出ても、大多数の希望する官吏や旧制中学校教員になれるとは限りません。高い知識や教養を身につけながら、何ら生産的な仕事をしようとしない高等遊民がこちらからも生まれるようになりました。帝大卒業生が明治二十五年（東大しかなかった）には二百人ほどだったのに、明治四十年（東大と京大しかなかった）には千人近くになり、官吏の需要より供給の方が上回ってしまったのです。

漱石の『こころ』の中の先生、『吾輩は猫である』の迷亭、『三四郎』の中の広田先生、『それから』の代助などは高等遊民です。かつてイギリスの中上流階級の理想は、金銭を得るためにあくせく働くことから解放され、先祖から継いだ不動産による収入など不労所得により生活を立てながら、文化的、教養的な活動をすることでした。大した遺産のない者も、成功すると、いつまでも大都市にいて地位や名声や富を追い続けるようなことはせず、できるだけ早く田舎に引っ込み、庭仕事に汗をかいたり読書をしたりする生活を選びました。

ロンドン時代の漱石に英文学を教えたクレイグ先生も、定職につかず家庭教師などで生計を立てる、言わば高等遊民でした。漱石にはそんな悠々とした、知的な生き方への憧れがあり、数々の作品で好んで高等遊民を主人公にしたのではないでしょうか。

しかしながら、明治四十年代の頃から、日本ではそれが社会問題となりました。上級学校へ進学しそこなったり、就職しそこなったりした人々が高等遊民となり、やがては社会への不満分子となり、社会主義や無政府主義に走るのでは、という危惧からでした。

高等遊民が懸念された理由は、折からのマルクス主義台頭でした。明治三十年代には労働環境の改善運動だったものが、次第に社会主義的な色合いを濃くして行ったという状況がありました。この動きに対し政府は厳しく当たりました。

明治四十一年の赤旗事件で堺利彦や山川均を牢獄に入れ、明治四十三年の大逆事件では、マルクス、エンゲルス著『共産党宣言』を翻訳した、社会主義者にして愛国者でもある幸徳秋水を、濡れ衣を着せ他の十一名とともに処刑してしまいました。高等遊民は危険思想につながる、と懸念されるようになったのです。旧制中学校の増設を抑制すべきなどという意見までが政府内に出てくるほどでした。

共産主義という妖怪

大正中期になると、後に述べるような第一次大戦による好景気により、銀行や一流企業への就職難がなくなり、高等遊民の問題も、マルクス主義台頭の問題も、とりあえずは視界から消えました。いつの時代も経済が順調だと、社会問題の多くは自然に解決されてしまうのです。

待っていましたとばかりに、中等教育（旧制中学、高等女学校、実業学校）に進む者は急増しました。大正中期から十年ほどで、旧制中学生は倍増し、大正末期には国民の五人に一人が中等教育へ進むようになったのです。

第一次大戦末期、ロシア革命（大正六年、一九一七年）が起き、ロマノフ王朝は滅び、一九二二年にソ連が誕生しました。日本に、そして世界に重大な影響を与えた出来事は、その間にレーニンにより、世界革命を目指すコミンテルン（共産主義インターナショナル）が組織化されたことです。

早くもその年、一九二二年にコミンテルン日本支部として日本共産党が発足しました。コミンテルンの公然とした、あるいは秘密裡の活動により、マルクス主義は世界に広められ、その後、一九五〇年代までの国際情勢を動かす一大要因となります。工作員がモスクワと連絡をとりつつ日中米英など列強の政府中枢にまで潜入し暗躍したからです。例えば日米戦争前の十年間余り、彼等は二つのことに全力を傾注しました。一つは、ソ連が来たるべき対独戦に専心できるよう満州との国境を平穏に保つことでした。そのためには、コミンテルンの出先である中国共産党を用い、日本軍を挑発し続け、中国との戦争のぬかるみにはまらせることでした。これには日本における工作員も大きな働きをしました。

もう一つは、ドイツ軍に追いつめられたソ連を救うため、アメリカを対独戦争に参加させるということでした。それには日独伊三国同盟を結んでいる日本に、アメリカに対して最初の一発を撃たせることでした。そこでコミンテルンは、ルーズベルト大統領の側近をはじめ、アメリカ政府へ食い込んでいた多くの工作員を活用し、日本の堪忍袋の緒が切れるまで日本を挑発し続けました。

日米通商条約の一方的破棄、在米日本資産の凍結、鉄鉱石や石油の対日禁輸、そして最後には日本を真向から侮辱するハル・ノートでした。実質的には宣戦布告です。社会主義者とも言われるほど親ソのルーズベルト大統領は、虫の息のソ連を救うため、明治以来ほとんどいかなる対立もなかった日本と戦争がしたくてたまらなかったのです。ハル・ノートは、東京裁判でインドのパール判事が「こんなものを突きつけられたら、モナコやルクセンブルクでも米国に対し武器をとって立っただろう」と評したほどの、それまでの長い日米交渉を無にするような挑発でした。挑発は見事に成功し、思惑通りの真珠湾攻撃となりました。

ハル・ノートを書いたのは、財務次官補という要職にあったハリー・ホワイトでした。彼は戦後三年ほど経ってから、下院非米活動委員会にスパイ容疑で召喚されました。彼はそこでスパイ容疑を否認しましたが、その三日後に服毒自殺しました。一九九五年に公開されたソ連の暗号解読文書（ヴェノナ文書）によると、彼は歴然としたソ連のスパイでした。

戦後恐慌と昭和恐慌

さて、大正末期から始まったコミンテルンの日本への浸潤は、一時的に忘れられていたマルクス主義を再び台頭させることになりました。台頭に輪をかけたのは、第一次大戦の後遺症としてのバブル崩壊でした。

明治時代を通して不平等条約により大きな財政赤字が生じていました。そのうえ第一次大戦前の日本には、日露戦争時に発行した外債の借金が十億円もありました。借金返済のための借金まで重ねていました。明治末期から大正初めの日本は財政破綻寸前でした。

ところが大正三（一九一四）年に第一次大戦が勃発しました。対岸の火事となった日本は、ヨーロッパにおける軍事需要に加え、ヨーロッパ各国が輸出できなくなった商品の代替需要や、日本船舶における代替輸送などもあり、二十八億円（大戦勃発時の年間予算は七億円）という莫大な富を稼ぎました。戦後も一年余りはヨーロッパ復興需要があり、好景気を持続しました。おかげで明治以来の借金はすべて返済し、戦時成金まで続出しました。商品投機、土地投機、株式投機が活発化しインフレも発生しました。

一九一八年に大戦は終結しましたが、特需がなくなったことや列強の市場復帰によるバブル崩壊は、戦争終結二年後の株式暴落で始まりました。戦後恐慌です。不景気になると、低賃金かつ長時間労働という劣悪な環境で働かされてきた労働者たちは、労働運動を盛んに行うようになりました。労働者の祭典であるメーデーが初めて開催され、農村では小作争議があちこちでもち上がります。こんな状況がマルクス主義台頭の温床ともなり、学生間にも影響を受ける者が出てきました。

労働運動や自由民権運動を取締るため、すでに明治三十三年には治安警察法が制定され、言論や集会や結社の自由が制限されていました。しかし大正末期のマルクス主義者台頭を受け、政府は大正十四（一九二五）年、治安維持法を制定し、国体や私有財産を否定する者までを厳しく取締まることにしました。この法はやがて拡大解釈され、宗教家、右翼、自由主義者など、政府を批判する者が片端から徹底的に弾圧されるようになりました。

日本経済はバブル崩壊に続き、大正十二年に起きた関東大震災の復興費用にも苦しめられました。昭和になっても昭和二（一九二七）年に金融恐慌、昭和四（一九二九）年にはウォール街の大暴落をきっかけとした世界恐慌と、これでもかこれでもかと災難が続きました。それに加え、東北地方では冷害による大凶作が昭和五年から昭和九年まで続き、飢饉に襲われた農村部では数十万の欠食児童（学校に弁当を持参出来ない児童）の他、娘の身売りが多発しました。平年作の一割五分などという年もあったのです。

大学は出たけれど

高等遊民の問題も、明治末期から大正初期のそれに比べはるかに深刻になりました。明治時代の末には、大学や専門学校など高等教育の卒業者は八千四百人ほどだったのに、昭和四年には激増し三万五千人を超えたため、厳しい不況とあいまって就職が極端に困難になりました。大学卒が職業安定所に列を作り、日雇い労働者になる者も多く出るほどでした。高等遊民どころか、知識階級の没落が言われるようになりました。

昭和四年には小津安二郎監督による『大学は出たけれど』が封切りになりました。私の父が無線電信講習所（現・電気通信大学）を出たのは昭和七年でしたが、その年の高等教育卒業者の就職率は三八％ほどでした。父が中央気象台（現・気象庁）に難なく就職できたのは、恐らく、予報部長という要職についていた伯父、藤原咲平のコネではなかったか、と私は疑っています。

二つの台風が一緒になって日本を襲う時がありますが、その進路予想について「藤原の効果」ということがよく言われます。アメリカにいた頃、二つのハリケーンが同時に南部を襲いましたが、やはりＮＢＣのアナウンサーが「フジワラ・エフェクト」に触れていました。咲平の発見したものです。咲平は学者としても人間としても立派でしたが、コネについては鈍感で、親戚どころか信州人をどんどん気象台に採用しました。そのため「気象台で石を投げると信州人にあたる」と言われたほどでした。薩長をはじめとする藩閥はよく知られていますが、明治人の親戚愛、郷土愛は強烈で、社会的公平という観念をはるかに凌いでいたようです。

大凶作と大不況に喘ぐ悲惨な国内を背景に、状況打開のためには海外進出しかないと考える軍人たちが出てきました。昭和六年、彼等は満州事変を起こし一気に満州を占領しました。

首謀者は石原莞爾中佐と板垣征四郎大佐でした。大凶作の中心、山形と岩手の出身です。山形県はこの大凶作で娘の身売りの最も多かった県でした。わずかばかりの身代金を親に残し、都会で娼婦などとなった十代の娘達は、数年後には、やせこけた廃疾の身体を引きずって故郷に戻り、一生を日陰者として生きることになりました。山形市出身の結城哀草果は大凶作の頃、「貧しさはきはまりつひに歳ごろの娘ことごとく売られし村あり」と歌いました。ヤマセ（稲が生長する頃に寒流を渡って吹く冷たい東風）により冷害に見舞われることの多い岩手県出身の宮沢賢治は、「雨ニモマケズ」の中で、「……サムサノナツハオロオロアルキ……」と書きました。故郷のこの惨状に心を痛め、また東北出身兵士達に同情したことも、この暴挙に出た理由の一つでした。

関東軍の独走でしたが、総元締めの帝国陸軍は主謀者たちを処罰せず、事後承認までしました。これに味を占めたのか、翌昭和七年には、海軍の青年将校たちが五・一五事件を起こし、犬養毅首相を暗殺しました。犬養は高橋是清を蔵相に起用し他国よりいち早く日本経済を大恐慌から脱け出させた人物であり、満州国を承認しなかった人物でした。

昭和十一年には今度は俺達とばかりに、陸軍の青年将校千数百名がクーデターを図り（二・二六事件）、高橋是清蔵相や斎藤実内大臣を殺害しました。五・一五や二・二六を見た政治家は青年将校による暗殺を恐れるようになり、軍国主義の暗雲が国全体を覆うようになります。

また大恐慌後に、イギリス連邦がポンドブロック、フランスとその植民地がフランブロック、アメリカとラテンアメリカがドルブロックを形成したことは、植民地をほとんど持たない日本やドイツやイタリアにとって、市場から締め出されたも同然でした。自由だ平等だなどと普段は唱えている国が、いざとなれば自らの国益しか考えないのです。遅れてきた日独伊は海外進出を図るしかなく、軍事的冒険に走る動機となりました。

軍国主義と言論統制

昭和六年の満州事変、昭和七年の五・一五事件と軍国主義が色を濃くして行くのに比例し、言論統制が露骨になって行きました。昭和八年には鳩山一郎文相が京大総長に対し、赤化教授として滝川幸辰法学部教授を罷免するよう要求しました。これに抗議のため、法学部教授三十一名全員が辞表を提出するという滝川事件が起き、昭和十年には天皇機関説の美濃部達吉博士が貴族院議員から追われました。

大正末期から昭和初期にかけてのこのような状況下で、マルクス主義が広まるのは自然な流れでしたが、学生たちがいっせいにそちらに向かったわけではありません。マルクス主義にかぶれる者、河合栄治郎などの自由主義に憧れる者、世俗からの超然を目指す者、自らの殻に閉じこもってしまう者、退廃的生活に溺れる者など様々でしたが、主力はなお教養主義を貫いていたのです。

実際、昭和十一年には、東京帝国大学教授河合栄治郎の編集した『学生と教養』がベストセラーとなり、続いて『学生と生活』『学生と社会』『学生と読書』などの学生叢書十二巻が、日本評論社から次々に出版されました。三笠書房も『現代教養講座』全八巻や『学生教養講座』全四巻を出版するなど、ほとんど教養ミニブームだったのです。

治安維持法は猛威をふるい、マルクス主義者ばかりか、自由主義者への弾圧まで始まりました。自由主義者は、自由を尊ぶ立場からマルクス主義を強く批判してきた人々でしたが、同じ立場から反ファシズム、反全体主義、反軍国主義だったのです。

昭和十二年には、『中央公論』誌上に「国家の理想」と題する評論を寄せた、東大の矢内原忠雄教授が大学を追われました。「国家が目的とすべき理想は正義であり、正義とは弱者の権利を強者の侵害圧迫から守ること」と、日本の中国進攻を暗に批判したからでした。愛国者の内村鑑三からキリスト教を学び、人道主義的植民地政策を新渡戸稲造に学んだ矢内原の、骨のある正論でした。

昭和十三年には、東大経済学部教授の大内兵衛、有沢広巳、脇村義太郎なども休職処分となりました。昭和十四年には、反マルクス主義、反ファシズムを精力的に唱えてきた、戦闘的自由主義者で東大教授の河合栄治郎がとうとう休職処分を受けました。翌十五年には、『日本書紀』や『古事記』に関する著作を史料批判の立場から著した早稲田大学の津田左右吉教授が、「皇国史観に反する」として大学を追われ、出版元の岩波茂雄と共に起訴されました。軍国主義に反するような言論に対し、帝大を中心に徹底的な弾圧が始まったのです。戦慄すべき言論統制が吹き荒れていました。その中で、大学教授をはじめとするトップ教養人は、粘り強くかつ勇敢に軍国化に対し警鐘を鳴らしました。

戦前の学生達は、こんな本を読んでいた

こんな状況下での教養ミニブームだったのです。政治的関心や行動の余地を失った学生達の、現実世界への幻滅、空漠たる不安など虚ろな心を充足し慰撫するものとして、教養がミニブームになったとも言えます。

昭和十三年に行われた文部省による旧制高校生の読書調査を見ても、最も読まれた雑誌のベストスリーは、『中央公論』『文藝春秋』『改造』で、すべて教養的なものでした。なお同じ時期の労働者の愛読雑誌ベストスリーは、『キング』『日の出』『講談倶楽部』でした。学生も労働者も書物に慰撫を求めていましたが、エリート文化と大衆文化との乖離は進んでいました。

同じ年に文部省の行った、旧制高校における「最近読みて感銘を受けた書物」の調査結果を一位から順に並べてみます。

『麦と兵隊（火野葦平）』
『生活の探求（島木健作）』
『土と兵隊（火野葦平）』
『愛と認識との出発（倉田百三）』
『出家とその弟子（倉田百三）』
『三太郎の日記（阿部次郎）』
『善の研究（西田幾多郎）』
『友情（武者小路実篤）』
『学生生活（河合栄治郎）』
『人格主義（阿部次郎）』
『罪と罰（ドストエフスキー）』
『大地（パール・バック）』

日米戦争の始まった昭和十六年に行われた水戸高等学校（現茨城大）での「愛好著者名」の調査結果を一位から並べてみます。夏目漱石、ドストエフスキー、倉田百三、トルストイ、ヘルマン・ヘッセ、山本有三、島崎藤村、阿部次郎、和辻哲郎、アンドレ・ジイド、河合栄治郎、ゲーテ……。

文部省は昭和十三年に「思想指導に関する良書選奨」を出し、時流に合った書物百四十七冊と著者五十八人を挙げましたが、それらの書物や著者はこれら調査結果にほとんど出てきません。国家による露骨な思想統制にもかかわらず、戦前戦中を通して旧制高校生は、大正時代と変わることのない教養主義を貫いていたのです。

まとめると、日露戦争後から第二次大戦前にかけての三十六年間、「坂の上の雲」をなくし彷徨し始めた国家と国民でしたが、旧制高校の学生や卒業生たちは、マルクス主義にも軍国主義にもさほど染まらず、概して教養主義を貫いていたと言えるでしょう。

独裁政権は教養層を常に潰しにかかる

にもかかわらず我が国はひたひたと大東亜戦争へと向って行きました。教養層のうちの最も戦闘的な人々、反軍国主義の活動家、自らの意見を世に問う手段と意志をもった学者や著述家たちは、治安警察による逮捕や政府による大学からの追放により次第に完黙させられました。それほど戦闘的でない人も官憲の容赦ない弾圧やテロの恐怖に怯え、やはり完黙してしまいました。

教養層を潰すことは、軍国主義国家や独裁国家における常套手段です。教養層は、権力の理不尽を見抜き、批判し、抵抗する。少なくとも素直に服従しない人々です。権力層にとって始末に負えぬ輩と言えます。真先に排除しようとしたのはドイツや日本だけではありません。どこの国であっても、強権的政府にとって教養層は常に目の上のたんこぶなのです。

一九三九年八月二十三日、ドイツのヒットラーとソ連のスターリンの間で独ソ不可侵条約が結ばれました。共産主義と国際ユダヤ主義の陰謀を同一視し、ソ連を敵対視していたヒットラーと、ファシズムを共産主義の敵としていたスターリンが手を結んだので世界は仰天しました。とりわけ我が国は、日独防共協定でドイツと連携し、ソ連とはノモンハンで交戦中でしたから衝撃を受けました。平沼騏一郎内閣は「複雑怪奇」と声明し総辞職しました。

この独ソ不可侵条約には、恐るべき密約が隠されていたのでした。ソ連がバルト三国（エストニア、ラトビア、リトアニア）を併合し、独ソでポーランドを分割するというものでした。不可侵条約の九日後の九月一日、ドイツがポーランドに突如侵攻し、第二次大戦が始まりました。そして密約通り、九月十七日、今度はソ連軍が東からポーランドに侵攻し、とうとうポーランドは独ソに占領され、分割統治されました。

恐るべきと言ったのは、ポーランドが両国に対しいかなる敵対行動をとったわけでもなく、それどころか一九三二年にはソ連・ポーランド不可侵条約、一九三四年にはドイツ・ポーランド不可侵条約を結んでいたからです。独ソの身の毛もよだつ不誠実でした。しかもこの密約の存在は、独ソが明かさなかったため、ゴルバチョフが一九八九年に情報公開するまで、五十年間も隠蔽されていました。

ソ連はポーランド占領後間もなく、捕虜となったポーランドの軍将校に加え教養層、すなわち学者、医師、ジャーナリスト、聖職者など約二万二千名を、「諸君らは帰国が許された」と欺し、ソ連西部へ連行しました。到着すると大きな穴の前に後手に縛ったまま向こう向きに立たせ、頭部を後ろから銃で撃ち抜きました（カチンの森事件）。教養層は独裁者スターリンによるポーランド支配の邪魔者だったのです。

余談ですが、大戦後のニュルンベルク裁判で、ソ連はこの事件を、何とナチスドイツの犯罪と主張しました。真相をドイツ暗号の解読で知っていたイギリスのチャーチル首相も、一九四四年の秘密調査により真相を知っていたアメリカも、この時、口を閉ざしていました。国益がかかった時の不誠実は独ソだけのものではないのです。

一九七〇年代にカンボジアで猛威をふるったポル・ポトの独裁政権は、自らの政治体制の矛盾を見抜いているに違いない教養層を徹底的に殺戮しました。「新しい国家の建設のために教養層の力が必要だから優遇する」という名目で、医師、弁護士、教師、技術者などに自己申告させ、そのまま連れ去りました。帰って来た者はいませんでした。これを知った他の教養層は無学文盲を装いましたが、そのうちにポル・ポトは、本や新聞を読む者すべて、ついには眼鏡をかけている者まで片端から殺してしまいました。このため、ポル・ポトが消えて二十年余りたった現在でも医師や弁護士が足りず、校舎は建てられても先生がいない、などということになっています。

日本の教養層も政治音痴

日本の教養層は、その上澄み部分とも言える大学教授などが軍国主義化に強い警鐘を鳴らしましたが、大半は沈黙したままでした。従って大学人などごく少数が斥けられた後は無力化しました。ドイツのギムナジウム、大学にならって、我が国の旧制高校や大学も哲学や文学に重心を置き、権力闘争や利害闘争などの政治力学、実際の経済や社会を動かす義理人情、嫉妬、欲得などは世俗的なものとして遠ざけていましたから、日本の教養層もドイツと同様に政治音痴でした。国防に関しても傍観者のままだったのです。

明治維新までに生まれた知識人、森鷗外、夏目漱石、幸田露伴、西田幾多郎といった人々、日清日露で活躍した将軍たちはみな幼い頃に四書五経の素読を受けていました。西洋文明に触れる前に、家庭教育により武士道精神を、漢籍の素読を通して儒学を、身体感覚としてとりこんでいました。

森鷗外はドイツ留学中、ドイツ語を日本人の誰より流暢に話し、日記を漢文で書いていました。夏目漱石の二十二歳の時に書いた処女作『木屑録』は漢文ですし、武士道の権化ともいうべき乃木将軍は、戦場で悠々と漢詩を詠み外国からの観戦武官たちを感嘆させました。形をもっていたのです。明治人はこういった形にのっとって生きていたと言えます。

ところが明治中期以降に生まれ、大正や昭和戦前に活躍した知識人たちは、西洋哲学や西洋古典などの知識を身につけていましたが、日本古来の形は明確には持っていませんでした。漢籍や武士道は封建時代の遺物として無視したばかりか、そういった古い形の束縛から自らを解放し、古今東西の偉大な哲学書や文学書を読破することこそが真の人格陶冶につながるという信念、あるいは信仰にとりつかれていたのです。和辻哲郎が『風土』で言ったように、日本の家庭では、口やかましく道徳を子供に叩きこむものの、政治や経済のことは「家の外」のこととして無関心でしたから、政治的教養は家庭教育でもほとんど蚊帳の外でした。

実際、明治中期以降に生まれた教養層と、それ以前に生まれた教養層との間には、ちょっとした隔絶があるように感じられます。それは明治天皇崩御の大喪の礼の日（大正元年九月十三日）に自決した、乃木希典将軍に対する評価に表れています。

自室に明治天皇、日露戦争で戦死した二人の息子、両親の写真を飾り、妻静子と共に自決した乃木を、明治中期に生まれた多くの文人が「前近代的」「時代錯誤」と批判しました。武者小路実篤（明治十八年生まれ）は「不健全な理性がなければ賛美することができない」と書いたし、芥川龍之介（明治二十五年生まれ）は『将軍』の中で皮肉り嘲笑しました。志賀直哉（明治十六年生まれ）は殉死の翌日の日記にこう書きました。「『馬鹿な奴だ』という気、丁度下女かなにかが無考へに何かした時感ずる心持と同じような感じ方で感じられた」。荒畑寒村（明治二十年生まれ）は、乃木の殉死を賛美するのは「精神病患者のたわごとのようなもの」と書きました。

これに反し、新渡戸稲造（明治マイナス六年生まれ）は「日本道徳の積極的表現」と評し、三宅雪嶺（明治マイナス八年生まれ）は「権威ある死」、西田幾多郎（明治三年生まれ）、徳冨蘆花（明治元年生まれ）、内田魯庵（同）は「感動を覚えた」と書きました。南方熊楠（明治マイナス一年生まれ）に至っては、殉死を批判する人々を批判しました。

森鷗外（明治マイナス六年生まれ）は乃木の葬儀に参列したうえ、その死を「日本精神の原型である」と評しました。前年に書いた『妄想』の中でもこう書いています。

「西洋人は死を恐れないのは野蛮人の性質だと云っている。自分は西洋人の謂ふ野蛮人といふものかも知れない……。併しその西洋人の見解が尤もだと承服することは出来ない」

そして殉死のなんと五日後に『興津弥五右衛門の遺書』、続いて『阿部一族』で主君への殉死を描きました。その後も歴史物ばかり書くようになりました。一方の漱石（明治マイナス一年生まれ）は殉死の一年半後に『こころ』を出版し、主人公の先生に「自分が殉死するならば、明治の精神に殉死する積《つもり》だ」と語らせました。鷗外も漱石も、自らの精神の中枢にあった明治の精神を、乃木将軍の自決により覚醒され、殉死に共感したのでしょう。

鷗外と漱石に関する的外れな解釈

後の研究では、これらの作品は死と再生をテーマにしている、という解釈が有力だそうです。明治という旧来のものと決別して、新しい自分への一歩を踏み出すために、鷗外や漱石は自らを作品の中で殺したのだ、ということらしい。完全に的外れと思います。大正元年の時点で鷗外は五十歳、漱石は四十五歳です。平均寿命四十四歳の頃ですから立派な老人です。いまさら再生もない年頃と思います。そういった作品を二人が著したのは、明治精神の郷愁に加え、明治中期生まれの知識人が人間を近代合理主義的な視点で割り切ろうとすることへの不満や反発があったのではないでしょうか。

鷗外も漱石も江戸時代の教養、道徳、情緒と形を十分に身につけて育ちました。漢詩、短歌、俳句なども専門家並みです。その上で鷗外はドイツで四年余り医学を学びつつ、世界各国の文学を大量に読んでいました。漱石はイギリスで二年余にわたり英文学を学びました。ともに圧倒的な西洋文明に直に接し、文明開化を体現する存在でしたが、その一方で、かつての日本人のあり方も深く知っていたため、常に伝統と近代双方への自省と懐疑を繰り返していました。いわば葛藤の世代でした。

それに対し、明治中期生まれの芥川龍之介や白樺派（武者小路実篤、志賀直哉、有島武郎、里見弴……）など、大正デモクラシーを支えた人々は、日本にいながらにして西洋の思想、知識を身につけた、身につけたと思い込んだ世代でした。伝統を捨て近代を受容した、葛藤なき世代です。こういった大正人への強い反発があったと思うのです。

漱石は明治四十四年、「現代日本の開化」という講演の中で、日本の開化は西洋からの圧力に対応するためにやらざるを得なかった、外発的で無理を重ねたものだ。軽薄で虚偽で上滑りしたものであり、それは子供が煙草をくわえさもうまそうな格好をしているもの、と語っています。

さらにその後で、「上滑りは悪いからお止しなさいと云うのではない。事実やむをえない、涙を呑んで上滑りに滑って行かなければならないと云うのです」と付け加えています。彼の葛藤を物語る言葉です。

舶来の教養を葛藤もなく無邪気に身につけた世代は、日本という根がないため、自分達の獲得したものが西洋崇拝に発した借り物の思想であることに気付かず、その危うさにも気付きませんでした。

大正デモクラシーを謳歌しているうちに、ロシア革命が起きると、これら教養人はあっという間にマルクス主義にかぶれ、昭和に入ってはナチズム、そして軍国主義に流されてしまいました。日本人としての形を忘れた葛藤なき教養人は、戦後はＧＨＱ史観に流され、左翼思想に流され、今や新自由主義やグローバリズムに流されています。明治人漱石の語った「上滑り」「虚偽」「軽薄」は、大正、昭和、平成の教養人の多くにもあてはまるのです。

旧制一高の新渡戸稲造校長が、漢籍や武士道を一高から斥けたことが災いとなって現れたと言えるでしょう。武士道や政治感覚に関してなら、義理、人情、忠義、名誉、欲望、勇気、惻隠、正義、涙などの飛び交う講談本を読み、政治や経済の影響をまともに受ける庶民のほうが、より多く身につけていたかもしれません。身体感覚としての形を持たない教養人は、西洋を中心とした借り物の知識と論理的思考、すなわち頭の先でしか考えることのできないひ弱な存在となりました。ドイツ教養市民層と同様、日本の教養層も、政治の教養に欠け、形を持たない、頭でっかちだったのです。

唐木順三が『現代史への試み』で述べたように、基盤となる形を持たない個性は、流行りの新しい思潮に常に圧倒されるのです。教養層にとって、流行りの新しい思潮の登場には逃避か、圧倒されるかしかなかったと言えるでしょう。実際、ドイツ教養市民層は、第一次大戦の前後はフェルキッシュ運動というナショナリズム、第二次大戦前はファシズム、戦後は贖罪意識に他愛なく圧倒されてしまいました。日本の教養層も、国家総動員などの思潮が登場するや、ほんの少数の勇気ある人々を除き、大多数はあっと言う間に自分の殻に逃避するか、圧倒されて支持に回ることになってしまいました。

昭和二十年、ヒットラー自殺の報に接した作家の高見順はこう書きました。

「五月九日。ドイツが遂に敗れたが……私はどうも、ヒットラーが好きになれなかった。……ナチというのが神経的に嫌いだ。これは、私だけではないようだ」(高見順『敗戦日記』文春文庫)

教養層の大半はこのような感覚を持っていたと言われています。一九三三年の、ナチスによるアカデミー弾圧、ユダヤ人作家追放、ユダヤ系や共産主義系作家による著作の焚書などを見れば、教養層なら誰でもナチスが嫌いになるでしょう。

ナチスを支持したドイツ文学者たち

しかし、神経的に嫌いというのではなく、なぜ許せないのかを論理的に説明するだけの政治感覚はなかったのです。作家の武者小路実篤など幾多の教養層の人々が戦後、「私はだまされていた」と語りました。確かに戦争中はどこの国でも、戦意昂揚のため色々の宣伝がなされます。しかし教養層ともあろう人は、新聞を飾る戦争宣伝文句の嘘に気付くだけの政治常識や軍事常識を持たねばならなかったのです。

無論、昭和十一年の二・二六事件以降、政治家へのテロや自由主義者弾圧、昭和十六年の言論・出版・結社の自由の完全な抹殺（臨時取締法）などを見れば、とても公に反戦を表明することはできませんでした。しかし、誰に見せることもない日記の中でさえ、多くは「ヒットラーを好きになれなかった」くらいの感覚だったのです。

それればかりではありません。例えばリルケの訳者だった芳賀檀は、ナチス賞美の文章をあちこちに書きました。非戦論者ヘルマン・ヘッセの翻訳者で自由主義者の高橋健二も、ヒットラー支持に転向したりしました。教養の本家本元とも言うべきドイツ文学者たちも、こんなものなのです。戦後はともにデモクラシー支持に変身しましたが、こんな人々が枚挙のいとまもないほどいるのです。

私は、日米戦争時に日本軍の勝利を祈ったり軍に協力した人々を非難しているわけではありません。私の大伯父の藤原咲平（当時、中央気象台長かつ東大物理学科教授）は純粋な研究者でしたが、日米戦争時には大政翼賛会に加入し、風船爆弾製作に力を尽くすなど軍部に協力しました。ヒットラーを好きになれなかった高見順も、『敗戦日記』で終戦の翌日にこう書いています。

「日本に、なんといっても勝って欲しかった。そのため私なりに微力はつくした。いま私の胸は痛恨でいっぱいだ。日本及び日本人への愛情でいっぱいだ」

私だってその頃に生きていれば、日本軍の戦況に一喜一憂しながら、毎日「頑張れ日本」を唱えていたと思います。米軍暗号の解読などに全力を尽くしたかも知れません。映画『イミテーション・ゲーム／エニグマと天才数学者の秘密』のアラン・チューリングのように、暗号の作成と解読は第二次大戦の前から欧米では数学者の仕事でした。

帝国陸軍情報部も昭和十八年四月、山本五十六連合艦隊司令長官の乗機がブーゲンビル島上空で撃墜された時、暗号解読によるものと確信しました。米軍暗号に全く歯が立たない陸軍は暗号課の釜賀一夫少佐を、東大理学部数学科教授を引退したばかりの高木貞治先生宅へ遣わせ、協力依頼をしました。「類体論」の建設によりすでに世界的に著名だった先生は、窮状を訴える釜賀氏に心を動かされ、「暗号のことは何も知りませんが、現役の人達に働きかけてみましょう」と快諾しました。

高木先生の号令で、当時数学教室にいた小平邦彦先生（後にプリンストン大学教授）、岩沢健吉先生（同前）、山辺英彦先生（後にノースウエスタン大学教授）、玉河恒夫先生（後にエール大学教授）など天才達が参加しました。そして翌年には早くも米軍暗号を解読し始めたのです。釜賀氏は生前、私に、「もっと早く数学者を使っていたら、そう簡単にはアメリカに負けなかったのに」と悔しそうにこぼしていました。

暗号解読に関係した数学者は、どの国の人もそれについて話そうとはしませんでした。私達夫婦の仲人をしてくださった小平邦彦先生も、何度もお会いしましたが、語ってくれませんでした。ただ、夫人が、「小平は市ヶ谷の陸軍へ行って帰った時は必ず『銀シャリを食べてきたよ』と嬉しそうに言ってたのよ」と話して下さいました。玉河先生は「山辺さん達と茅野の銭湯の二階に泊まって暗号をやっていました。山辺さんは話が面白かったから今では楽しい思い出です」と語ってくれました。

米軍が信じなかった日本による暗号解読

米軍暗号解読は戦後も極秘にされていましたが、米軍に知られることになりました。解読の天才だった山辺先生が、負けたことが余りに悔しくて、女子大英文科に通う妹にうっかりしゃべってしまいました。そして運悪く、妹がそのことを親友の同級生に話し、さらに運悪く、その親友が米軍の日系二世の将校と結婚し、寝物語としてでしょうか、夫に話してしまったのです。

故郷の熊本県宇土市で百姓をしていた釜賀氏は、仲間の一人とともに昭和二十三年にGHQから召喚され、首を洗って上京し、GHQで暗号将校の尋問を受けました。「お前達ジャップに我々の暗号が読めるはずがない」「読んでいました」「嘘つけ」「では昭和二十年当時使用の暗号で文章を書いて下さい。読んで見せます」。侮辱され腹を立てた釜賀氏はそう答えました。目の前に出された暗号文を、二人は徹夜で解読し、翌朝届けました。米軍側は大いに驚き、知力に敬意を表したのか、突然態度を変え紳士的となり、ランチに大きなビフテキをご馳走してくれたそうです。

日米戦争は、世界最強国を相手の祖国の興亡をかけた戦争でしたから、国民として全面的に協力するのは仕方ありません。自分の家に賊が侵入し、家族の生命が危機に立たされた場合は、いかに教養があろうと、いかに高潔の士であろうと、誰でも敵と戦うからです。どんな戦争にも基本的には反対ですが、いったん戦争が始まったら、祖国のために全力を尽くすのが国民としての当然の義務と思うからです。

私が嫌悪するのは、戦前、戦中、戦後とカメレオンのように変化した教養層の人々です。中でももっとも許せないのは、あたかも自らは軍国主義に一貫して反対していたかのような顔をして、終戦後に戦争協力者を非難した教養層の人々です。GHQに媚びることでGHQの覚えをめでたくし、既存勢力に汚名を着せ追い出すことで、自らの就職や出世を図った卑怯者たちです。

戦後も残った教養主義

戦後になって軍国主義、皇国史観、教育勅語などは戦前の遺物として一気に捨てられましたが、明治末期からの教養主義は祖国敗戦への過程でほとんど力を発揮できなかったとはいえ、すぐについえた訳ではありません。少なくとも一九六〇年代までは残っていました。これは私がちょうど高校生、大学生の頃で、私の世代は教養主義の最後の世代と言われます。

私の高校は都立の受験校でしたが、生徒達は時間を見つけては本を読んでいました。休み時間や昼休みには文庫を読んでいる生徒の姿が必ずありました。高校や大学初年級の頃、友人との会話の中には、「『チボー家の人々』のジャックが……」とか、「『罪と罰』のソーニャの愛は……」「サルトルの『自由への道』は面白かった」「サルトルなら僕は『嘔吐』の方がよかったなあ」「サルトルより断然カミュだよ。『異邦人』はいいぞ」などという言葉が普通に飛び交っていました。マルクス、エンゲルスの『共産党宣言』に感激したという者や、哲学に凝ってやたらに唯物論とか観念論を持ち出す者もいました。

私は中学時代に日本文学をかなり読んでいましたが、世界文学や古典をほとんど読んでおらず、とても肩身の狭い思いをしました。こういった会話の出るたびに、すでに読んだような顔をしたり、相槌を打ったりして、家に帰るや自己嫌悪感から本屋に走り、その本を買ってくるということも何度となくありました。買って来てもすぐ読破できるものではありません。『チボー家の人々』などは白水社版で五冊の大長篇なのです。結局、それ以降半世紀間、私の本棚に鎮座したままです。同じ運命をたどったトルストイの『戦争と平和』とともに、これらは目に入るたびに、今も軽い挫折感や劣等感を私に感じさせています。

西洋由来の「教養」を疑う

私には明治大正昭和の日本文学の方がはるかにしっくりと胸に沁みこんできましたが、こういった翻訳本を読むことは、一九六〇年代にはまだ「かっこいい」ことだったのです。周囲の者に知的レベルを誇示する道具でもありました。それは「日本文学はもう卒業しました。私の眼は狭い日本でなくすでに世界に向けられています」「人情という低俗なものは卒業しました。私の心はすでに理性という高尚な世界にいます」と暗に宣言しているようなものでした。日本文学はなぜか「かっこいい」とは思われませんでした。西洋ものは異性に対して、自らの人間的深さや魅力をアピールする力でもあったのです。ロマン・ロランの分厚い『魅せられたる魂』を小脇に抱え、登下校していたキザな男もいました。

私が大学一年生の時、中学時代の友人にこう言われたこともあります。「倉田百三の『愛と認識との出発』、西田幾多郎の『善の研究』、阿部次郎の『三太郎の日記』の三つは読まないと一人前になれないぞ」。三冊とも旧制高校の必読書でした。この友人の父親は旧制高校卒だったのです。タイトルは知っていましたが読んでいなかったので、すぐに買い揃えました。夏休みになるのを待って田舎に持っていったのですが、どれも私には難しくて、つまらなくて、二、三十ページで投げ出してしまいました。

雑誌としては、『世界』『中央公論』『思想の科学』『朝日ジャーナル』などがよく読まれていました。私もしばしば目を通しました。実際この頃、『中央公論』が十五万部、『世界』が十万部も出ていたのです（現在は五分の一以下）。

戦前の教養層は戦争への過程においてほとんど力を発揮できませんでしたが、戦後の教養層はどうだったでしょうか。一九四五年から一九七〇年までに大学を卒業した人々です。彼等の年齢は、バブル絶頂期の一九九〇年の時点で、四十二歳から六十七歳くらいです。

八〇年代バブルを作り、破裂させ、その後はアメリカの要望通りに新自由主義をガムシャラに押し進め、二十年にわたるデフレ不況へと国をミスリードしてきたのは、私を含むこの年齢層の人達です。

戦後の教養層は、たかが経済のために、かつての日本にあった穏やかな社会や、人々の思いやりや絆をずたずたにし、国柄とも言える諸々の情緒や形を徹底的に傷めつけてしまいました。戦前の教養層は国家破滅の過程で無力でしたが、戦後の教養層は、ＧＨＱの押しつけたＧＨＱ史観やそれに基づく戦後体制を墨守し、対米従属に甘んじたまま経済成長に狂奔し、何よりも守らねばならない国柄を率先して痛めつけてきたと言えます。

このように戦前、戦中、戦後を眺めますと、旧制高校的な、西洋生まれの哲学や文学に傾いた教養というものの本質が明らかになってきます。それは文明開化以来の西洋への劣等感に根差した西洋への憧憬、もっと言えば西欧文化への跪拝《きはい》に過ぎなかったのではないかということです。

日本古来の形、すなわち武士道精神、儒教精神、惻隠やもののあわれなどの情緒、を忘れたこれまでの教養は、脳の先っぽにしか存在しない、実体感も生活感もないものだったと言わざるを得ません。映画にたとえると、スクリーン上にあるだけの世界であり、映画館から一歩外に出るや、跡形もなく日常の中に霧散してしまい無力化するものでした。西洋人にとってはともかく、日本人にとって、日本人としての形から切り離された教養とは、まさに根無し草であり、国難に当たって何の力も発揮できないひ弱な存在だったのです。

第六章　国家と教養

第二章で古代ローマ崩壊後、アラブ世界に温存されていた古代ギリシア文化が、いかにしてヨーロッパを、十世紀間もの長きにわたる中世の惰眠から目覚めさせ、ルネサンスをもたらし、科学革命、産業革命へとつなげてきたかを見ました。人文的教養のすさまじい力でした。

十八世紀後半には、英仏に後れをとっていたドイツに、「古典の精神を学び、人格の陶冶を図る」という教養主義が生まれました。これら人文的教養を身につけた、いわゆる教養市民層の適切な国家運営により、ドイツは十九世紀に大躍進をとげました。哲学や古典という難解なものを身につけることのできる高い知性の人々は、科学技術や経済発展にも目配りを怠りませんでした。その結果ドイツは、一八〇六年にフランスに惨敗しベルリンを占領された怨みを、一八七一年の普仏戦争勝利で晴らし、ヨーロッパ最強とさえなりました。

これを見ていた我が国は、明治維新より軍隊、憲法、高等教育などでドイツを手本とした国造りをしました。その結果、明治末期の頃から、ドイツ型教養を身につけた教養層、具体的には旧制高校出身者達が生まれました。そしてこれら人文的教養に身を包んだ教養層が、二十世紀になって、ドイツでも日本でも、第一次大戦、第二次大戦という歴史的愚行に際し、ほとんど抑止力とならなかったことを見ました。

その結果、戦後になり、人文的教養の地位が下がることとなりました。加えて、両大戦を経て世界のスーパーパワーに躍り出たアメリカが、教養とは対局にある功利主義の国であったことや、科学技術の驚異的発達などが人文的教養のさらなる地位低下に連なったことも見てきました。

西洋崇拝の教養と決別する

しかしながら一方で、第一章で述べたように、諸現象の真髄を見抜くために、知識や情緒に根差した物差しは欠かせません。とりわけ、ますます広範に渡り深化する情報社会を生き抜くために、この物差しの必要度はかつてより増していると言えます。無限にある雑多な情報を有限なものに仕分けし、その中から最も自分にとって必要なもの、最も本質的なものを選択するには何か強力な物差しがいるからです。

歴史的には古典や哲学を中心とした人文的教養がその役を担ってきました。しかし二十世紀になって、その限界が露わになったのを第四章と第五章で検証しました。新しい情報社会に対応する強力な物差し、これからの教養とは一体何でしょうか。

それは従来の教養のごとく、少数エリートにより独占されるものではありません。独裁政権や軍事政権の下では、瞬く間に排除あるいは抑圧されてしまうからです。我が国に強く見られた、西洋崇拝に基づいた教養のひ弱さも第五章で見ました。

これからの教養とは無論、インターネットにある雑多な情報の集合体ではありません。情報を論理的に体系化したものが知識とすると、これからの教養は書斎型の知識でなく、現実対応型のものでなくてはなりません。現実対応型の知識とは、屍のごとき知識ではなく、生を吹き込まれた知識、情緒や形と一体となった知識です。

ここで言う情緒や形とは一体何でしょうか。まず情緒ですが、ほぼ先天的に備わっている喜怒哀楽ではありません。それなら獣にもあります。より高次元とも言える、後天的に得られるもの、すなわちその人が生まれ落ちてからこれまでにどんな経験をしてきたか、によって培われる心です。どんな親に育てられたか、どんな友達や先生と出会ってきたか、どんな美しいものを見たり読んだりして感動してきたか、どんな恋や失恋や片思いをしてきたか、どんな悲しい別れに会ってきたか……などにより形成されるものです。美的感受性やもののあわれなどの美的情緒、宗教によって得られる宗教的情緒なども含まれます。

また形とは、日本人としての形、すなわち弱者に対する涙、卑怯を憎む心、正義感、勇気、忍耐、誠実、などです。論理的とは言えないものの価値基準となりうる、獣ではない人間のあり方です。こう書いてくると、これからの教養とはプラトンからカントまで、様々な哲学者が語った知情意や真善美に似ています。これらを荒っぽく要約すると、知（真）が知識、情（美）が情緒、意（善）が意志や道徳ですから、私の言う教養、すなわち情緒や形と一体になった知識、とはそれらに近いと言えます。

漱石も『草枕』の冒頭で言っています。「山路を登りながら、こう考えた。智に働けば角が立つ。情に棹させば流される。意地を通せば窮屈だ。兎角に人の世は住みにくい」。バランスが大切ということでしょう。

一人前の人間として大切な教養については、人により言い方が異なります。東京女学館女子中高の校長をしていた四竈経夫先生は、「私が生徒にどうしても伝えたいのは三つのこと、読書と登山と古典音楽の愉しさです」と私に語りました。ある会社の社長は「人間にとって最も大切なのは、人と付き合い、本を読み、旅をすることだ」と言いました。手塚治虫はこう言いました。「君たち、漫画から漫画の勉強をするのをやめなさい。一流の映画を見ろ、一流の音楽を聴け、一流の芝居を見ろ、一流の本を読め。そしてそれから自分の世界を作れ」。表現は様々ですが、大体、私と同じことを言っているように思います。

ニーチェは「本をめくることばかりしている学者は、ついにはものを考える能力をまったく喪失する」と言いました。知識が充分にあるだけでは、死蔵された知識に過ぎず、考える能力に結びつかないのです。

読書がなぜ大事なのか

これからの教養を構成するものは、情緒や形ばかりか知識も、基本は実体験によって得られるものです。京都がどんな町かは、京都に行って見なければ完全には理解することはできません。象やキリンがどんな動物かも、何らかの方法で見る必要があります。

モーツァルトやビートルズの音楽がどんなものかは、聴く以外にないのです。ぶたれた時の痛さも、貧しくて充分に食べられない悲しさや苦しさも、仲間外れにされる辛さも、欺されたり裏切られた時の悔しさも、そんな目にあって初めて分かります。自分自身の体験によって、そういう目にあっている人に同情したり、他人をそういう目にあわせないよう心がけることになります。

ここで大問題は、充分な知識や情緒や形を得るために、実体験だけで足りるかということです。一生の間に実体験できることはとても限られています。自らが生涯に歩いた道路の長さの総和は、世界全道路の長さの兆分の一にもなりません。出会った人の数だって限られています。言葉を交した人の数はさらに少なく、深い意志の疎通を交した人の数ともなると、大抵の場合、家族を除くと片手の指、多くても両手の指で足りてしまうのではないでしょうか。

にもかかわらず私達は、人間とはこういうものだ、こういう状況ではこう考え、こう思い、こう行動する、というかなり正しいイメージを持っています。これを持たないと社会生活ができません。私達が、よく知る人はたった数名なのに、そんなイメージを持つことができるのは、映画やテレビドラマや読書などで、乏しい実体験を補強しているからです。

家族や学校で親や先生に教わる知識だって、ほんの基礎基本だけです。人間として真っ当で充実した生き方をするためにはとても充分とは言えません。これからの教養、すなわち情緒や形と一体化した知識を獲得するには、まず自ら努力して得る必要がありますす。実体験では余りにも足りないので、間接体験（追体験）によることになります。読書、文化、芸術などに親しむことが大切となるのです。人によっては自然や宗教もあるかも知れません。先ほど京都がどんな町かは京都に行って見なければ分からないと言いましたが、注意すべきは、それでは目に見えるものしか分からないということです。

例えば京都の金戒光明寺は、何も知らない人にとって、京大近くの丘の上のだだっ広いお寺に過ぎません。しかし書物をひもとけば、ここは、十五歳より比叡山で修行を積んでいた法然上人が、四十三歳の時に山を下りて草庵を結んだ地であり、初めての浄土宗寺院であることが分かります。また、十四歳の美少年平敦盛の首を斬った熊谷直実が、出家しようと法然の教えを受けに来た所と分かります。

幕末には京都の治安を保ち孝明天皇を守ろうと、京都守護職として会津武士一千名がここに滞在したことも分かります。御所まで二キロ、東海道の京都入口である粟田口まで二キロ、という警固上の絶好の位置にあることも分かります。京都を京都たらしめている歴史や文化を知って、初めて京都とは何かが分かるのです。

読書を代表とする疑似体験は、実体験に比べれば概して深さも強烈さもはるかに小さく、人間の教養を豊かにする力としては微々たるもの、という声が聞こえてきそうです。その通りです。力としては十分の一かも知れません。しかし、一つ一つは十分の一の深さや強烈さの疑似体験でも、自ら求めさえすれば実体験の百倍に上る回数を体験することも可能です。そうすれば実体験だけの人に比べ十倍の教養を得ることができることになります。

特に疑似体験の柱となる読書なら時間も金もさほどかかりませんから、いくらでも重ねることが可能です。読書を通じ、古今東西の賢人や哲人や文人の言葉に耳を傾けることができます。漱石やドストエフスキーの言葉に耳を傾け、紫式部や清少納言やシェークスピアと親しく対面することもできます。文庫本代を払うだけで、あり得ないような恩恵を受けることができるのです。

ポジショントークしかしない政官財の人々や、テレビでもっともらしいことを自信満々に語る人々でなく、幾歳月にわたる歴史の星霜に耐えた、古今東西の賢人達の精魂こめた授業を、タダで聴講することができるのです。知識や思想を吸収できます。文学書を読めば古今東西の庶民の哀歌に触れることで人間としての美しい情緒や、醜い情緒を学ぶことができます。それらに共感し、時には涙し、時には奮い立つことさえできるでしょう。

一篇の詩が人生を変えることもある

私は高校一年生の頃、宮沢賢治の「永訣の朝」を読んで心を揺さぶられました。

「けふのうちに　とほくへいつてしまふわたくしのいもうとよ」

で始まる詩です。

賢治は、死んで行く二歳下でまだ二十四歳の妹とし子が、高熱であえぎながら言う最期の願いを聞き入れます。庭の松の枝から雪をとって二人が幼い頃から慣れ親しんだ茶碗に入れて食べさせてくれ、という願いです。鉄砲玉のように庭に飛び出した賢治の持ってきた雪を食べた妹は、「生まれ変わったら自分でなく他人のために苦しむ人間に生まれてきたい」と言って息を引き取ります。

賢治はこう嘆きます。

「ああとし子　死ぬといふいまごろになつて　わたくしをいつしやうあかるくするために　こんなさつぱりした雪のひとわんを　おまへはわたくしにたのんだのだ　ありがたうわたくしのけなげないもうとよ　わたくしもまつすぐにすすんでいくから」

　この詩を読んだ私は、自分もこれからまっすぐに生きて行こう、何が何でもまっすぐに生きて行こう、と堅く誓いました。一篇の詩に出会っただけで、生き方が変わったり、志を立てたり、それを実現するために頑張ることが可能となったりすることもあります。情緒の凄い力です。

　また、歴史や文明や文化に関する本を読むことで、世界史の中における現代の立ち位置、日本の立ち位置、そして究極的には自分の立ち位置が少しずつはっきりしてきます。立ち位置が確立されないと毎日見聞する社会現象を大局的に見ることができません。

　本を読まない人間は井の中の蛙《かわず》と同じになります。この蛙にとって、世界は井戸の底と上に見える小さな丸い空だけです。井戸の外を一切知らなくても蛙は幸せな一生を終えることができるのかも知れません。しかし私は、この蛙に広い広い世界を見せてやりたくてたまりません。実体験だけで満足する人は、一度しかない人生をじっと井戸の中で暮らすようなものです。

こうして実体験は疑似体験により補完され、健全な知識と情緒と形、すなわちバランスのとれた知情形が身につきます。これこそがこれからの教養であり、あらゆる判断における価値基準となります。別の言葉で言えば、あらゆる判断における座標軸が形作られてくるのです。哲学を中心とした「生とは何か」を問うのがかつての教養で、「いかに生きるか」を問うのがこれからの教養と言ってもよいかも知れません。

論理の危うさ

人間は論理的に考えるだけでは、物事の本質に到達することは決してできません。『国家の品格』で詳述しましたように、実生活において、論理などというものは吹けば飛ぶようなものです。人を殺してはいけない論理も、人を殺してよい論理も、少しでも頭のいい人ならいくらでも見つけることができます。状況や立場や視点によっていくらでも変わりうる、変幻自在な論理などに頼ることなく、一刀両断で真偽、善悪、美醜を判断できる座標軸がぜひとも必要な所以です。教養という座標軸のない論理は自己正当化に過ぎず、座標軸のない判断は根無し草のように頼りないものです。

ありとあらゆる論理には出発点が必要で、この出発点の選択が決定的に重要です。これが間違っていれば、後の論理が正しければ正しいほど結論はとんでもないものとなるからです。教養すなわち知情形に欠けた人は、この出発点を正しく選べないのです。

英国人は、本能的あるいは経験的に、この論理の危うさにとても敏感です。理屈をこねまわす人を胡散臭く思います。だからフランス人をあまり好みません。フランスに長く住んでいた知人（日本人）が、「フランスではタクシーの運ちゃんまでが口舌の徒」と言っていました。英国人は自らが理屈一本で進んでいないことを示すため、また進まないよう自己抑制するため、しきりにユーモアを話の中に取り込みます。

座標軸とは価値基準の土台となるものです。先に述べた無限の情報から本質的なものだけを選択する仕分け装置です。

卑怯なことをしない

第一章で、一九九〇年代後半から始まり小泉竹中政権で絶頂に達した、異常とも言える構造改革フィーバーの本質について、私自身長いこと気付かなかった、二十一世紀に入りしばらくしてやっと疑問を抱き始めた、と書きました。私は教養人と言えるような人間ではありません。ただ、規制の緩和とか撤廃がどんどん進むにつれ、弱者が追いやられているように感じ始めたのです。

地方の古くからの駅前商店街が軒並み廃業によりシャッター通り化したり、中小企業の倒産が急増してきたからです。自殺も毎年三万人を超えていました。まず惻隠の情が働きました。弱い者がいじめられていると感じました。規制とは弱者を守るためにあったのだ、規制なしの自由競争とは弱肉強食そのものだ、まさに獣の世界ではないか、人類は何世紀もかけ少しずつそこから離れようとしてきたのではなかったか、などと考えました。

「卑怯なことをしない」は、武士の血（最下級の足軽でしたが）を継ぐ藤原家の、家訓の筆頭です。私の父は、私が幼い頃からくり返しこう教えました。

「弱い者いじめは卑怯中の卑怯だ。弱い者いじめをしないことは当然だが、弱い者いじめを見たらどんなことをしてでも弱い者を助けろ。必要なら力を用いてもよい。見て見ぬふりをして通り過ぎたらお前が卑怯者になる」

それだけではありません。私は小学生の頃、デ・アミーチスによる『クオレ』を繰り返し読み、感動の涙とともに、卑怯を憎む心、弱い者への思いやり、親孝行、勇気、祖国愛、自己犠牲などの尊さを胸に入れていました。今から考えると武士道精神と同じものです。フランスの作家アナトール・フランスは、「私が人生を知ったのは人に接したからでなく、本と接したからである」と言いました。私も武士道精神については、主に父の教え、そして『クオレ』により心に刻みこんだのです。

こうして惻隠と、卑怯を憎むなどの形を父と『クオレ』により胸深く埋めこまれた私は、子供の頃から頑健な身体に恵まれていたこともあり、弱い者いじめを見るや、いじめていた連中を力ずくで制裁する、ということをしばしば実行しました。

小学校五年生の時の昼休み、雨上がりの校庭で私達はドッジボールをしていました。市会議員の息子で横柄なTが、K君に「パスをよこせ」と大声で叫びました。K君は貧しい家庭の二男でした。六畳間と四畳半だけの長屋に家族五人で住んでいました。父親が長い間失業中のため、母親が夜遅くまで洋裁の内職をすることで、どうにか生計を立てていました。穴のあいた半ズボンからはパンツが見えていて、栄養失調のためかやせて青白く、坊主頭にはいつもおできが毛ごと盛り上がっていました。

K君はこの命令を無視して相手に向かいボールを投げてしまいました。その途端、面子を潰されて逆上したTはK君に突進し、殴る蹴るの暴行を加えました。これを見た私は、間髪を入れずT目がけて走り、襲いかかりました。Tを引きずり倒し、顔を水たまりの中に強く抑えこみ、「二度とKに手を出したらこれ位じゃすまないからな」とどなりつけました。

この日の夕食時、この事件の一部始終を聞いた父は「そうか、よくやった。貧しい子が殴られているのを救ったんだな」と喜色満面でほめてくれました。この時ほど父にほめられたことは、前にも後にもありません。喜ぶ父の傍らで、母は、「暴力を振るうのも大概にして。また学校に呼び出されるのはコリゴリですからね」とか「そんなことをしていると暴力少年の烙印を押されて、中学入試でろくな内申書を書いてもらえませんよ」などと苦い顔をしていましたが。

歴史的展望で考える

行き過ぎた規制緩和や撤廃、すなわち自由競争により弱者が追い詰められて行くのを見て、武士道精神からくる父の教え、「卑怯なことはするな」「弱い者は何が何でも助けろ」の二つにまず火がつきました。これらは世界中の人々が大好きな自由や繁栄より、私にとってははるかに重要なことでした。人を幸せにするための自由が、人を不幸にしているのなら、それに規制を加えるのは当たり前と判断したのです。

それに加え、私は長年にわたり評論なども手がけてきましたから、日本や世界の近代については半ば必要に迫られ様々なジャンルの本を乱読していました。構造改革をしつつズルズルとデフレ不況の深みにはまっていく状況を解読するのに、こうして得た知識が役立ちました。とりわけ役立ったのは、歴史の書物でした。

一八四〇年代のアメリカに、「マニフェスト・デスティニー（明白なる天命）」というスローガンが生まれました。蛮人たちの文明開化こそがアメリカに課せられた明白なる天命、という意味です。神から与えられたこの美しい使命に抵抗する者は、神の意志に反する者として排除することになります。これは先住民のアメリカ・インディアンを虐殺し、アフリカから強制的に運んできた黒人を奴隷化しながら西部開拓を推し進める、ということを正当化するためのものでした。米英などアングロサクソンは、長期戦略を練りそれを粘り強く実行することに関し、恐らく世界で最も長けた民族と私は思います。日本人はもちろん、アジア、アラブ、ラテンもそういった息の長い戦略は苦手です。

アメリカ人がアメリカ・インディアン絶滅のため真っ先に手をつけたのは、彼等の食糧でありテントや衣料にもなるバッファロー（アメリカバイソン・野牛）を、絶滅させるという酷い計画でした。官製の狩猟ツアーまで組み、撃って撃って撃ちまくったため、十九世紀初頭に四千万頭を超えた北米のバッファローは、世紀末には何とたったの数百頭に激減したのです。野生のバッファローはほぼ絶滅し、先住のインディアンは西部の辺鄙な居留地に囲われてしまいました。

次いでメキシコに戦争を仕掛け、テキサス、カリフォルニア、ニューメキシコ、ネバダ、アリゾナなど西部諸州を強奪しました。一八九〇年までにアメリカ西部をすべて手中にすると、今度は新しいフロンティアを海外に求めました。使命感があるのですから「足るを知る」ということはありません。マニフェスト・デスティニーは、自由、平等、キリストの福音などを広めることがアメリカの明白な天命、と変質しましたが（今日に至るまで）、内実は帝国主義的な領土拡大（今日は経済的支配権の拡大）を正当化するためのものでした。

アメリカ人が何か行動するには、女性に言い寄る場合ですら、正当化のための美辞麗句が必要です。愛で結ばれた格好にするために、月や星や花を必要とするのです。「今晩一緒に過ごしませんか」などと単刀直入に言うフランス人とは異なります。私は臨機応変変幻自在です。

領土が西海岸まで達すると、次にはスペインに戦争を仕掛け、中米からスペイン勢力を駆逐し、アメリカの植民地としました。勢いは止まることなく、ハワイ王国を欺して滅ぼし、一八九八年には併合し、フィリピン、グアムなど太平洋の島々を片端から植民地に組み入れました。そして最後の大フロンティア、中国にまで手が届いたのです。ここには、すでに日英独仏露など列強が権益を持っていましたから、後発のアメリカは門戸開放とか機会均等といったきれい事を唱えながら、中国市場への進出を少しずつ、しかし本気で始めました。

この中国をめぐり、数十年後、太平洋をはさんだ二つの帝国主義国日米がいつか激突するのではないか、と戦略的思考に長けたアメリカは予感しました。明治二十三年から始まったカリフォルニアへの移民を見て、日本人が中国人と違って、勤勉で知的向上心の強い、白人を脅かしかねない存在と思ったのです。人種差別が始まります。ニューヨークタイムズに「アメリカに来るアジア人は劣等人種にとどまらねばならない」などという、日本人をターゲットにした論説が出るほどでした。また一九〇四年にパナマ運河建設に着工し、太平洋に本格的に乗り出そうとするアメリカにとって、ロシア艦隊を撃滅した日本海軍は脅威となりました。更には日露戦争により南満州鉄道や遼東半島での利権を手にした日本が気に入りませんでした。同様な利権を中国に持つ英独仏露は許せても、黄色人種の日本人は許せなかったのです。

そんな状況下の一九〇六年、日本人排斥がカリフォルニアで始まり、また海軍で密かに「オレンジ計画」が練り始められました。対日戦争計画です。前年の一九〇五年には、日露戦争終結のためのポーツマス条約で日本の肩を持ってくれたセオドア・ルーズベルト大統領が、翌年にはそんなことをしていたのです。

「オレンジ計画」は一九四一年の第五次まで改良が重ねられました。中国と組んで反日宣伝を推進し、日本の海軍力を徐々に削減し、日本の兵力を大陸に向けさせ消耗させる、などという基本方針が定められ、その通りに実行されました。日米戦争の進行についても、①西太平洋での日本軍の急襲、②南太平洋の島々を飛び石状に利用し反抗、③日本を海上封鎖したうえで本土侵攻、となっていました。日米戦争は、オレンジ計画の作られた一九〇六年から三十五年後に、その通りに進行しました。戦慄すべき分析力と長期計画力と実行力です。

特記すべきは、アメリカの関わったこれらの戦争は、日米戦争を含め、すべて圧倒的強者アメリカが欲した戦争であり、戦争を始めるためにあらゆる工作を周到に重ねたということです。弱者に対しありとあらゆる挑発や侮辱を与え、我慢できなくなった弱者が先に手を出すのを待って、徹底的に叩き潰すという作戦なのです。

マニフェスト・デスティニーをかざしたアメリカの執念は常に、まさに手段を選ばぬ、冷徹かつ激烈なものでした。私は冷戦終結後のアメリカが、グローバリズム（新自由主義）を広めるというマニフェスト・デスティニーをかざしているのだと、それまでのアメリカの歴史を知るにつれ深く納得したのです。日本だけでなく世界に対しての、この自信に満ちたグローバリズムの押しつけ、そのなりふり構わぬ激しさはそれ以外に理解できなかったのです。

一つの論理だけで猪突猛進するな

ここ二十年ほどの日本は改革につぐ改革でした。ところが、改革しても改革しても、世の中がよくなったようには感じられません。国のリーダーたる政官財の人々がきちんとした価値基準を持ち合わせていないからです。政治家は次の選挙で勝つこと、官僚は自らの省庁の権益を拡大すること、財界人は大企業の利益向上、という情けない価値基準を第一としているように見えます。

自己利益の追求は生物としての人間に備わったもので、何ら恥ずべきものではありません。私だっていつも自分の利害得失に敏感です。私はお気に入りの朝食用ヨーグルトを買うため、百六十九円で売っている近所の店でなく、必ず百三十九円で売っている一キロ先の店まで歩いて行きます。大学に勤めている時も、負担の大きい委員を避けようと努め、入試問題の採点も、できる限り答案枚数の少ない問題を選んでいました。

問題は、多くの人が利害得失という価値基準しか持ち合わせていないということです。政官財の人間について触れましたが、学界だって同様です。

私は四十年間ほど日米英の大学で教えましたが、どこの大学でも、教室会議では自らの利益を追い、学部教授会では自らの学科の利益を追う発言しかありませんでした。大学の評議会のような場では自らの学部の利益を追い、文部科学省主催の各大学が集まる会議では自分の大学や自分の分野に利益を誘導しようとする人ばかりでした。そうでない人は長い年月で数人しかいなかったような気がします。最後の砦とも言うべき、真理を探究する学者達でさえ利害得失ばかりなのです。これでは色メガネでものを見ているようなもので、到底、本質は見えません。

きちんとした価値基準を持たない国のリーダーは、個々の現象に目を奪われ、それらを貫く本質が見えませんから、大局観や長期的視野を持つことはとうてい不可能です。したがってすべての改革は小手先の対症療法とならざるを得ません。これなら世論の支持も得られそうだから、盟友アメリカにこう言われたから、中国や韓国にこう言われたから、波風を立てないためにこうしよう、となるのです。世論をうかがいつつ他国を右顧左眄《こさべん》しながら、日本をリードするより他なくなります。

国のリーダーは、外国の顔色をうかがうようでは論外ですが、国民の目線に立ってもいけません。国民には国をリードする能力がないからです。国民の心の底にある不安や不満を洞察したうえで、大局観により国家国民の十年後、三十年後、五十年後を見すえつつ、生命を捧げるつもりで国をリードしなければならないのです。

堂々たる価値基準をもつこと。すなわち教養を蓄積することが国のリーダーには決定的に重要です。

例えば、現在、我が国の食糧自給率は四〇%を切っています。これに関し、新自由主義を信奉している人は、こう考えるでしょう。農産物の生産量は市場が決めるのだから、自給率が低いということは、消費者たる国民が安い輸入米や輸入麦や輸入大豆を指向している結果にすぎない。国内産が負けるというのは、狭い日本が農作物生産に必ずしも適していないからで、農家はより効率的な職種に転業すべき、と。経済学で言う「比較優位の原理」です。

一方、日本の古典文学の教養のある人は、こう考えるでしょう。「農業が潰れたら日本の美しい田園は荒れ果てる。美しく繊細な自然こそは、世界に冠たる日本文学を生み出した〝もののあわれ〟などの美しい情緒の源泉である。これを失ったら日本が日本でなくなる。経済成長を多少鈍らせてもよいから、農業を振興し自給率を高めるべきである」。

歴史の教養のある人は、一九四〇年秋のイギリスを思い起こすかも知れません。イギリスへ向かう商船が次々とドイツのUボートに沈められ、国内食糧備蓄が一週間を切るという危機的状況に追いこまれました。戦わずしてヒットラーに全面降伏せざるを得なくなる直前まで行ったのです。当時のチャーチル首相が、「あの時ほどゾッとしたことはなかった」と後に語るほどの非常事態でした。降伏一歩手前まで行ったイギリスでしたが、間もなく数学者達の必死の努力によりUボート暗号の解読に成功し、商船隊がU

ボートを避けて航路をとるようになり、どうにか命をつなぐことができたのです。

こういった歴史教養のある人なら、戦争や紛争でシーラインを切られた時に、一年足らずで餓死列島と化す日本を懸念し、自給率向上を主張するでしょう。

教養がないと、一つの論理だけで猪突猛進することになりがちです。

国民の未熟という根本問題

それなら、そんなリーダーを育てる学校を作り、そこで各地、各層から優秀な生徒を集め、徹底して真のエリートを養成しさえしていればよいではないか、という話になります。

封建制とか独裁制では確かにその通りです。そういった俊秀の中から最も教養、見識、力量のある人物を選び、その人にすべてをまかせておけば万事オーケーです。すなわち哲人政治が理想です。

江戸中期、米沢藩主の上杉鷹山は、苦しい藩の財政を再建するため倹約令を発し、自ら江戸での生活費を千五百両から二百九両に減らし、一汁一菜を実行し、衣服は絹をやめ木綿のみとし、奥女中を五十名から九名に減らすなどのことをしました。最後のことだけは、偉そうなことを言う私でもとてもできそうにありません。

倹約に加え、養蚕、製紙などの第二次産業を起こし藩の収入増大を図りました。天明の大飢饉では大凶作の東北で多くの餓死者が出ましたが、米沢藩では蔵を開いて備蓄米を貧しい農民に分け与えたため餓死者が一人も出ませんでした。ケネディ米大統領が「最も尊敬する政治家の一人」と語った人です。

上杉鷹山のような哲人がトップにいたら、その人に政治をまかすのが最善です。間違っても民主主義、すなわち多数決にしてはいけません。

ただ残念なことに哲人の選び方が古今東西、どこの誰にも分らないのです。上杉鷹山のような人が日本にもいるはずですが、どこにいるのか分らないのです。私は自分が適任と信じているので女房にそう言ったのですが、「家さえまかせられないあなたにどうして国をまかせられるの」と一蹴されました。

AIが進化して、電極を身体のどこかに当てるだけでその人の教養、すなわち知情形を計測することができるようになればよいのですが、それも無理です。AIに知を組み込むことは無制限に可能ですが、情緒のすべてを組み込むことは不可能です。人間の深い情緒のほとんどは、人間が一定時間の後に必ず朽ち果てる、すなわち「死」という根源的悲しみに裏打ちされているからです。機械であるコンピュータには絶対的な死というものがありませんから、深い情緒を身につけることができません。そんなＡＩが、人間の知識は量れても情緒や形を計測することは不可能と思われます。

　間違ってとんでもない独裁者を選んだらそれまでです。そこで我が国は、先進欧米諸国にならい民主主義国家となりました。


民主主義国家では一人一人が十分な教養をもたねばならない

　民主主義国家ではリーダーは選挙を通じ国民によって選ばれます。残念なことに、この方法によっても、適切な人を選ぶことは至難の業です。立候補者の教養、見識、力量などについては、先述のようにＡＩは使えませんし、脳波を精密に調べても、学歴や経験を見ても、特殊な試験を施しその成績を見ても、とうてい分りません。リトマス試験紙がないのです。選ぶ人が自ら、教養をもっていないと判断できないのです。

　すなわち民主主義国家では、政治を司る人も、選ぶ立場の国民一人一人も、十分な教養をもつこと、成熟した国民になることが不可欠なのです。十九世紀までは、例えばドイツのように、一群の教養エリートにすべてをまかせておけば万事よかったのですが、二十世紀の民主主義ではそうはいかなくなったのです。

残念なことに歴史上、いかなる国家も成熟した国民という状態に到達したことがありません。これまでのすべての民主主義国家は、古代ギリシアから現在に至るまで、例外なく衆愚政治国家でした。一言で言うと民主主義とは、世界の宿痾とも言うべき国民の未熟を考えると、最低の政治システムなのです。ただ、フランス革命前のブルボン王朝、清朝、ヒットラー、スターリン、毛沢東、北朝鮮などを考えると、絶対王政や独裁制や共産制よりはまだまし、というレベルにあるのです。

私は四十年余り前、アメリカの大学で教えていました。向こうの学生は皆、物事を論理的に考えたり、論理的に話したりするのが得意でした。そういったことの不得意な日本の学生に比べ、しばしば感心させられました。

ところが数学の方はそうはいきませんでした。ビジネス学部の大学二年生を教えていた時、中間試験の答案を採点していたら、1／2＋1／3を、分母同士と分子同士を足して2／5とした女子学生がいたのです。余りの知識不足に仰天して研究室に呼び出しました。そうしたら輝くような金髪を腰まで垂らした、余りにも可愛らしい学生だったのでまたびっくりしました。マーシャという娘でした（どうでもよいことですが）。しかも彼女の恋人はボストンに妻子のいる三十六歳の男でした。月に一度、商用でデンバーを定期的に訪れる彼と密会していたのです（これまたどうでもよいことですが）。

1／2＋1／3事件を、アメリカ嫌いのくせにアメリカにいるイギリス出身の同僚に話すと、「驚かないね。イギリスだって三人に一人は二桁の足し算が出来ないからね」と言って軽く肩をすくめました。「もっとひどい会話を先日の食堂で耳にしたよ、マサヒコ、『ローマ法王はどこに住んでいたっけ』『イギリスのパリじゃない』」。私もアメリカで、日本が第二次大戦でアメリカの同盟国だと思っていた学生、日本を世界地図で示せなかった学生、韓国を日本の一部と思っている学生などに会いました。これでは、日常茶飯のことならともかく、いくら論理に長けていても、客観性のない独りよがりの論理に過ぎず、まっとうな判断はできません。アメリカ学生の悪口を書きましたが、日本の学生も近頃は似たようなものになってきました。

ある人から聞いた話ですが、日米戦争で零戦を操縦し数十機の米軍機を撃墜した帝国海軍の名パイロット坂井三郎氏は、電車内で次のような若者の会話を耳にしたそうです。「おい、お前、日本がアメリカと戦争したこと知ってるか」「えっ、ウッソー」「マジだよ」「マジか。それでどっちが勝ったんだ」。坂井氏は、自分達が命をかけて戦った戦争とは一体何だったのか、と考えこんでしまったそうです。

現代社会の病いの本質は、世界的規模での民主主義の浸透に、各国国民の教養がついていっていない、という不合理にあったのです。古代ギリシア以来十九世紀まで、あれほど驚異的な力を発揮してきた教養が、二十世紀に入って、いくつもの大戦争の抑止力としてまったく働かなかったことを前章までに見ました。二十世紀になって多くの国々で普通選挙による民主主義が導入されたため、「国民の未熟」という、歴史上ほとんど問題とされてこなかったものが、初めて大問題として顕在化してきたのです。

二十世紀の途方もなく大きな二つの戦争に対し教養層が無力だったことには二つの理由がありそうです。産業革命を経て一気に複雑化し進展の激しくなった世界に、古い教養、すなわち従来の哲学、古典を中心とした教養、が十分な効力を発揮できなくなったこと。そして教養のない未熟な国民という大問題を忘却したまま、各国が民主主義に走ったため、どこも衆愚政治に陥ったことです。

別の言い方をすると、古い教養が時代についていけなくなったこと、そしてもう一つは、民主主義とは教養層が力を発揮できない体制であったということです。国民が教養を失い、成熟した判断力をもたない場合、民主主義ほど危険な政治形態はありません。

民主主義は最悪の形態に成り果てます。各国の国民が十分な教養をもつようにならない限り、混迷した世界の現状は、今後永遠に続くということです。

人文的教養と社会的教養

それでは、従来の人文的教養に内在していた欠陥を克服する、これからの教養とは具体的にどのようなものであればよいのでしょうか。

まず、従来の人文的教養には、少数エリートに独占されがちという根本的欠陥がありました。哲学や古典を学ぶことは、誰にでもできることではないからです。前章で述べましたように、私も大学一年生の頃、友人Eにすすめられ旧制高校生の必読だった阿部次郎『三太郎の日記』、倉田百三『愛と認識との出発』、西田幾多郎『善の研究』を手にしましたが、どれも難解すぎて二、三十ページほどで投げ出しました。面白くもありませんでした。私にとっては、数学は難解でしたがワクワクするものでした。Eは私を生まれて初めて武蔵小山の月光館（ストリップ劇場）に連れて行ってくれ、性に目覚めさせてくれましたが、哲学には目覚めさせてはくれませんでした。

白状すれば、『源氏物語』だって、高校の頃に最初の〝桐壺〟で挫折したまま原文では読んでいないのです。こういった教養を身につけた知性溢れる人間は当然少数となります。知性は独裁者や軍事政権などにとって目の上のたんこぶですから、少数勢力だとあっという間に沈黙させられてしまいます。哲学や古典などの人文教養は庶民にはやや近寄り難いものですが、かと言って教養として不適切ということにはなりません。それだけを教養としたのが悪かったのです。自らを豊かにし、人間や文化を洞察するための鍵ですから、これからの教養としてもまず第一に入れるべきものです。

次いで社会教養として、政治、経済、地政学（地理的環境の政治、経済、軍事などへの影響）、歴史なども加えた方がよいものです。現実世界を洞察するための鍵です。前章で言及しましたが、こう言った社会教養を低俗と軽視した教養層が、地政学的な大局観を欠いたため、ヒットラーのレトリックや大本営の戦果を無邪気に信じ、戦後になって「私はだまされていた」などと恥ずかし気もなく泣きごとを言いました。科学、文学、音楽、哲学などで人類への偉大な貢献をしてきたあのドイツ国民が熱狂的に支持しているというだけで、西洋崇拝に染まった日本の教養層は、ヒットラーに対する批判的吟味を忘れてしまったのでしょう。

また、コミンテルンの手先が、アメリカや中国の政官の中枢や日本のメディアに浸潤していることなど一顧だにせず、メディアと一体になった日本軍国主義の宣伝に他愛なく乗せられ、日中戦争や日米戦争に乗り出したのを見ました。

例えば教養層は、二十世紀前半とは、急激に力をつけたアメリカがイギリスに代わり世界の覇権を握る過程、という大局観を欠いていました。そして、世界最大の市場である中国に進出したいアメリカにとって、有色人種の日本が日露戦争後に満州の独占的利権を手に入れたこと、および西太平洋を支配する強力な海軍を保有すること、が癪の種となっていることにも気付いていませんでした。

対日戦争計画（オレンジ計画）が練られていたように、日露戦争直後から日本はアメリカの仮想敵国となっていたのです。アメリカによる日本移民排斥、ワシントン会議での日英同盟解体、いくつかの軍縮条約での強引な日本海軍削減、などを目の当たりにしても、人種差別に根差したアメリカの激しい反日感情を見抜けず、日独伊三国同盟などを結び、日本を抹殺したくてたまらない世界の強国アメリカに、絶好の手がかりを与えてしまいました。

教養層は、哲学や古典を通し人間の本質についての深い理解はあったものの、社会に関してはウブで無邪気で幼稚だったのです。

日米戦争の始まった昭和十六年の日米の国力を比較すると、アメリカは日本の国民総生産で十二倍、石炭は十倍、鉄は二十倍、石油は七百倍の生産量を持っていました。戦争しては絶対にいけない差です。日本の教養層はこんな統計も知らずに書斎にこもっていたのです。

しかも日本の教養層は舶来の書籍を押し頂くばかりで批判的に読むことを怠りました。文明開化以来の強い西洋憧憬や西洋崇拝が底にあったのです。明治から終戦後に至るまで、日本語を止めて英語を国語にしよう、仏語を国語にしよう、日本語をすべてローマ字で書こう、などと、文部大臣や作家や学者達が唱えたりしました。現在でも、欧米人の言説や書物を引用して、得々と話したり書いたりする学者やジャーナリストが後を絶ちません。驚くべき現象です。

本を読むときは常に批判的に読むこと、自らの頭で納得しない限り信用しないことが大切です。イギリスの作家バーナード・ショーはかつてこう言いました。「ドン・キホーテは読書により紳士になった。そして読んだ内容をそのまま信じたため狂人となった」。

科学教養と大衆文化教養

第三に必要なのは科学教養です。東日本大震災では科学教養を欠いた政府や国民のため、放射能に関する風評被害が広がりました。チェルノブイリ原発の炉心爆発と福島の原発の建屋爆発を混同する人が多くいました。東京でも、その際に発生した千葉県市原市のＬＰＧ工場大火災による毒性ガスが東京を覆い大勢が死亡する、などというメールが飛び交い私のケータイにまで入りました。プロパンガスが燃えれば炭酸ガスと水ができるだけです。

東京の魚市場となる豊洲の地下の土壌が汚染されていると小池都知事が騒ぎましたが、魚市場では水道水しか用いませんから、コンクリート建物の下が汚染されていてもいなくても何の関係もないのです。専門家がそう言っているのに、「安心と安全は違う」など非科学的なことを言います。「科学的安全イコール安心」が現代なのです。

鉄は水より重いのに、私達は安心して大型船に乗りますし、金属は空気より重いのに安心して飛行機に乗ります。「浮力」という科学が安全を保証しているからです。豊洲の地下だけには科学が適用されなかったのです。都知事の科学教養は中世的です。

また統計学も必須教養です。これがないと、人々は政府、官庁、メディアの流す意図的な統計にあっさり欺されてしまいます。世論調査の大半はナンセンスと考えてよいものなのです。統計は百年前の庶民には不要でしたが、現代では情報に欺されないための不可欠な道具です。

もう一つ、どうしても付け加えたいのが大衆文化教養です。ここに入るのは大衆文芸、芸術、古典芸能、芸道、映画、マンガ、アニメ……などです。これらに親しむことで、美に心動かされたり、人情に触れて胸を熱くしたりすることができます。これらは主に情緒を養うものです。我が国には歌舞伎、能、狂言、人形浄瑠璃、落語などの古典芸能が今も盛んなのに加え、邦楽、茶道、華道、香道、書道、歌道、俳道などの芸道もあり、世界でも類例のない芸能芸道大国なのです。

このようなものが古くから現在に至るまで盛んに行なわれているのは壮観です。近年は世界中の人々からも驚嘆されるようになり、国家に品格を与えています。未だに世界から称賛されている黒澤や小津の映画、世界を席捲中のアニメなどもあります。

実は、アニメを子供向けの幼稚なものとばかりに思っていた私は、ケンブリッジ大学でのかつての同僚である天才数学者が、「『千と千尋の神隠し』に感激した」と言うのを聞いてびっくりしました。それまでに私の見たアニメと言ったら、幼い息子達とテレビで時々一緒に見た『クレヨンしんちゃん』と『ドラえもん』くらいだったのです。先年、『君の名は。』を見て、美しい絵と溢れる情緒に心打たれました。こういう作品を若い人が作ってくれたので、日本もまだ大丈夫、と久しぶりに思ったものです。

アニメに限らず、これら大衆文化には、日本人の図抜けて繊細な美的感受性や情緒が溢れているので、分り易いものから徐々に世界中で評価されていくはずです。

大衆文芸も諸外国に比べ圧倒的で、万葉集の頃から現代に至るまで、極端に豊富です。『国家の品格』の中で私は、西暦五〇〇年から西暦一五〇〇年にかけての「十世紀間に日本一国で生まれた文学作品は、その間に全ヨーロッパで生まれた文学作品を質および量で圧倒する」と述べました。その英訳を読んだケンブリッジ大学出身の六十代女性は、先日拙宅を訪れた際、「その十世紀間に生まれた英文学は、私もカンタベリー物語しか知らない」と苦笑いしていました。

私の独りよがりではありません。二十世紀の知の巨人として知られる、文化人類学のレヴィ゠ストロースは、著書『月の裏側』（中央公論新社）の中でこう言っています。「『源氏物語』は、フランスではようやく七世紀のちになって、ジャン゠ジャック・ルソーの物語風の作品によって登場した文学の様式を、先取りしています。……『保元物語』『平治物語』『平家物語』……私たちの文学で、これに匹敵するものを求めるとすれば、ようやく十九世紀になってからの、シャトーブリアンの『墓の彼方からの回想』くらいでしょう」

日本の古典文学や純文学と言われる谷崎、川端、三島などの作家は外国にもある程度知られていますが、江戸、明治、大正、昭和、平成と、大衆文学にも素晴らしいものが多くあります。最近、一時忘れられていた獅子文六や源氏鶏太などに人気が出てきたというニュースを見てうれしくなりました。十年ほど前でしたが、オーストラリアの日本文学研究者が、手紙の中で私にこう尋ねてきました。

「翻訳される日本作家は谷崎、川端、三島など数えるほどしかいない。なぜ新田次郎、池波正太郎、藤沢周平といった作家の作品は、同等かそれ以上に面白くまた深いのに翻訳されないのか」

先述のレヴィ＝ストロースは、近松門左衛門、竹田出雲、三好松洛、並木千柳、鶴屋南北などによる人形浄瑠璃や歌舞伎のための戯曲、すなわち『曾根崎心中』『菅原伝授手習鑑』『義経千本桜』『仮名手本忠臣蔵』『東海道四谷怪談』などについて、「その豊かさ、筋立ての巧みさ、メロドラマと詩の結合、庶民生活の情景に融合した英雄的感情の描出に、すっかり魅惑されてしまいます。私たちの演劇でそれに近いものといえば、一八九七年になって上演されたエドモン・ロスタンの『シラノ・ド・ベルジュラック』を、どうやら挙げられるくらいです」と絶讃しています。日本の大衆文芸や大衆芸能のレベルはすこぶる高いのです。

日本の自然科学はノーベル賞二十三個と輝かしいですが、日本文学は段違いで昔から現在に至るまで世界で圧倒的なのです。

西洋の古典よりも日本の大衆文化を

明治末期から出版され人気を博した講談本も、少なくとも日本人にとっては素晴らしいものです。前章で述べた通り、講談の根っ子には武勇、正義、惻隠、卑怯を憎む心、忠孝など武士道精神や儒教精神の中核が息づいていました。ユーモアもふんだんにありました。明治末期から昭和戦前にかけての、人々の道徳教育であり人間教育の一翼を担っていました。講談本を中心に出版していた講談社のことを、徳富蘇峰が「私設文部省」と評したほどでした。父や私はこれで育ちました。

また漫画や劇画は、元々は私が子供の頃に読んだ馬場のぼる、福井英一、山川惣治のように子供向けのものでした。アメリカなどでも『スーパーマン』『ワンダーウーマン』などヒーローものと子供向けが主です。それが日本では、人間の内面を照らしたり社会の矛盾を問うたりする上質のもの、大人向けが独自に発達しました。

私も二十代末にアメリカへ留学した時、母に頼んで『文藝春秋』とともに『少年マガジン』を毎月送ってもらっていました。『巨人の星』や『あしたのジョー』が読みたかったのです。日本のものだった漫画、劇画は今や世界の「マンガ」になりました。十年ほど前にポーランドの列車で話したワルシャワ大学の学生二人は、日本の首相を知りませんでしたが日本の漫画家を五人ほどスラスラと挙げました。びっくりしました。今やアニメとともに大衆文化の一つのジャンルになりました。講談本の抜けた穴を埋めていると言えるかも知れません。

明治中期以降には、情緒溢れる唱歌、童謡、歌謡曲が山のようにあります。日本の童謡の数は、諸外国に比べ圧倒的に多いように思います。しかも淋しさや悲しさの込められているものが多い。「赤とんぼ（夕焼け小焼けの赤とんぼ　負われて見たのはいつの日か……十五で姐やは嫁に行き　お里の便りも絶えはてた）」「花かげ（十五夜お月さまひとりぼち　桜吹雪の花かげに　花嫁すがたのおねえさま　俥《くるま》にゆられてゆきました)」と情緒深いものばかりです。

若い頃、蒲郡で一週間ほど数学と格闘していたことがあります。散歩中にボート乗り場のラジオから「雨(雨がふります　雨がふる　遊びにゆきたし　傘はなし　紅緒《べにお》の木履《かっこ》も緒が切れた)」が聞こえてきました。三十代主婦のリクエストで、彼女が小学校一年の頃、下校するや結核で入院中の母親の所へ行き歌った曲、と語っていました。「遊んでやれなくてごめんね」といつも謝っていた母親は間もなく亡くなりました。この時以来私は、最後の「雨がふります　雨がふる　昼もふるふる　夜もふる　雨がふります　雨がふる」あたりで涙をこらえられなくなります。幼児をおいて先立つ母親の気持ちを想ってしまうからです。

外国のものを見ると、イギリスの「ロンドン橋落ちた」、フランスの「きらきら星」や「アビニョンの橋で」、ドイツの「かえるの合唱」、チェコの「おお牧場は緑」、アメリカの「線路は続くよどこまでも」や「メリーさんの羊」と、明るいリズムの曲ばかりです。日本では子守歌でさえも悲しいものばかりです。西洋のものは心を穏やかにさせるものが多いのに、異様です。私の次男は、女房に似ず感受性が強く、寝かせ付けようと女房が日本の子守歌を歌ってやるたびに、しくしく泣き始めるのでした。

　音楽的評価は分かりませんが、情緒的には日本のものの方が比べものにならないくらい深いと思います。このような童謡で育ったことが日本人の感受性の土台となっているのでしょう。日本の宝物とも言える童謡に、いつか世界の目が注がれると思います。「花かげ」はすでにロシアやポーランドで日本の歌と知らずにそれぞれの言語で歌われています。あるポーランド人は、娘がこれを聞くたびに涙を流すと言っていました。

　先述のレヴィ＝ストロースはこう言っています。「（西洋古典音楽が）私にはあまりに深くしみついているので、それ以外の音楽が私の感受性に触れることはほとんどありません。……けれども（十八世紀以降の）日本の音楽は例外でした。……たちまち私を虜にしてしまったのです。……日本の伝統にまったくなじみのない者の心にも、平安時代の文学の底流の一つをなしている「もののあわれ」の感覚を呼び起こします。文学の「もののあわれ」が音楽でも表現されているのです」。

　歌謡曲だって、明治末期の「青葉の笛（一の谷の軍《いくさ》破れ　討たれし平家の公達《きんだち》あわれ）」以来、心の琴線に触れる曲が多い。昭和になってからは「白い花の咲く頃（白い花が咲いてた　ふるさとの遠い夢の日　さよならと言ったら　黙ってうつむいてたお下げ髪)」や「津軽のふるさと」など郷愁を歌ったものも多い。郷愁は「もののあわれ」に近い情緒です。私は中学生の頃、アメリカの流行歌、エルビス・プレスリー、ポール・アンカ、ニール・セダカ、パット・ブーンなどに熱を上げました。ほとんどは恋か失恋を歌い上げるものでした。

日本にも無論そういう歌がありますが、大半は、ほのかにある人を慕う、過ぎ去った人を想い涙を流す、報いられぬ恋に胸焦がす、人知れずある人を慕い続ける、といった忍ぶ恋を扱ったものです。

私の大好きな「マロニエの木蔭（空はくれて丘の涯《はて》に　輝くは星の瞳よ　なつかしのマロニエの木蔭に　風は想い出の夢をゆすりて　今日も返らぬ歌を歌うよ）」には失敗談があります。中央高速で運転中、これを聞き涙ぐんでいたら、三十四キロのスピードオーバーで覆面パトカーに捕まったのです。仕事熱心すぎる山梨県警でした。昭和の歌謡曲は私にぴったりのものばかりなので、毎日これらを歌っています。情緒不足の女房がいやがるので、風呂の中で美声を張り上げます。こういった歌曲もまた日本の宝物です。

レヴィ＝ストロースが指摘するまでもなく、我が国が長い歴史を通して美的感受性のとりわけ鋭い国民を魅了してきた大衆文化は、普遍的価値を有するものです。

英国の著述家エドウィン・アーノルドは明治二十二年のスピーチで、日本の自然美、芸術、日本人の謙譲、誠実、礼節などに触れ、「日本は地上で天国あるいは極楽に最も近づいている国」と語りました。大衆文化を通して情緒や形を培われた国民がいたからです。

これら大衆文化には日本人の情緒や形が凝縮しています。大衆文化を通俗的と軽侮し、西洋生まれの古典や哲学を崇拝していたこれまでの教養層に、日本人としての情緒や形が欠ける傾向にあったのは当然です。前章で述べたように、文明開化以来の西洋への憧憬に根差した、借り物とも言える教養が、困難に当たって何の力も発揮できなかったのは仕方ありません。

日本人としての情緒や形を持たない人間は、舶来の形にあっと言う間に圧倒されてしまいます。根無し草は雨風に弱いのです。大正時代以降の教養層は、大正デモクラシーに圧倒され、次いでマルクス主義に圧倒され、ナチズムに圧倒され、戦後はＧＨＱに圧倒され、今ではグローバリズムに圧倒されています。現代に至る日本の知識人のひ弱さは、世界に誇る我が国の大衆文化、すなわち日本人としての情緒や形を軽侮したことに因があるとも言えるのではないでしょうか。

　また、日本人は古来、ユーモア感覚の鋭い民族です。これがあったから、欧米や中国に見られるような独裁者が歴史上登場しませんでした。イギリスと同様、ユーモアからくるバランス感覚のおかげです。ユーモアは落語や講談にもちりばめられています。こういったものを見下しがちだった教養層が、バランス感覚を失い新しい思潮に翻弄されたのも当然かも知れません。

　この反省に立ち、日本人の形を伝える大衆文化は、是が非でもこれからの教養に入れるべきものなのです。これにより日本人としての心棒が入るばかりか、教養層の飛躍的拡大が可能になります。

　実体験やこのような大衆文化により養われた情緒や形があって、初めて知識に生が吹きこまれるのです。知識は、普段は脳内に眠っているものであり、そこに情緒や形がまぶされて初めて活性化され、真の教養となります。例えばグローバリズムを考える時、経済学、すなわち利潤の最大化しか頭にない人と、それ以外のもの、日本の国柄とか、美しい自然、追いこまれていく弱者への惻隠などを大事にしたい人とは、まるっきり異なる見方をするのです。論理の出発点は常に仮説であり、この仮説は情緒と形により通常瞬時に選ばれるのです。

教養の四本柱

まとめますと、これからの教養には四本柱があります。まずは長い歴史をもつ文学や哲学などの「人文教養」、政治、経済、歴史、地政学などの「社会教養」、それに自然科学や統計を含めた「科学教養」です。この三つの柱は誰もが認めるであろう、常識的なものです。

力説したいのは、これに加えて、そういったものを書斎の死んだ知識としないため、生を吹きこむこと、すなわち情緒とか形の修得が不可欠ということです。これが四つ目の柱となります。それには先に詳述した、我が国の誇る「大衆文化教養」が役に立ちます。旅に出ることや友達と語り合うことも大いに役に立ちます。この四本柱のことを、先に触れたように、「読書、登山、古典音楽」と表現する人、「本、人、旅」と表現する人、「映画、音楽、芝居、本」と表現する人もいます。

これら四本柱に触れ、自らの血肉とするためには、どうしても読書が主役となります。教養をどのように定義する人でも、読書を外すことだけは不可能です。ここで一つの注意があります。

私達はどうしたことか、ここ十数年、撮った写真を見ることが少なくなりました。デジタルカメラのせいと思います。ケータイなどについたデジタルカメラだとフィルム代がかかりませんから、撮られた写真の枚数はかつての何倍にもなっています。私も先日、ベルギーとオランダをレンタカーで一週間旅しただけで百数十枚は撮りました。それら写真はそのままパソコンにしまってあります。友達に写真を送るのも、パソコンからパソコンでできますから、プリントすることはめったになくなりました。面倒なアルバムを一切作らなくてよくなったのですから便利な世の中になったものです。

ところが、それらを後になって見ることがめっきり少なくなってしまいました。どこでどんな写真を撮ったのか、パソコンにしまったのかさえ忘却してしまうのです。一方、アルバムが本棚にあれば、ふと懐かしくなって手に取ったりします。家族でそれを見ながら、子供達が「お母さん、あの頃はやさしそうだったんだね」「お父さん、あの頃から気持ち悪い顔だったんだね」などと言って笑ったり、私が息子達の赤ん坊の頃の写真を見せながら、「ほら、お前達の全盛期の頃のものだ」とからかったりします。

一方、パソコンにしまってある大量の写真は、ひょいと手を伸ばすということになりません。機械の中の写真はアルバムの中のものに比べはるかに遠い存在となります。

同様のことは活字本と電子本についても言えます。すでに読んだ活字本が本棚に並んでいれば、ふと目にした時に懐かしくて手にとって見たりします。再度目を通す必要に迫られた時は、本の形や色や出版社などを大体覚えていますからすぐ見つけられます。本を開けば昔引いた傍線や書き込みが大いに役立ちます。私の場合、太字で「重要！」と書いてあったり、「フザケルナ」と怒りの走り書きがあったりして、若い頃の気合や理解不足などを愛おしく思ったりします。古い詩集のセピア色に変色したページをめくれば、永く疼くことになった女性との別れが思い出されたりします。

一方、電子本では、廊下を歩いたり和室でぼんやり畳に寝転んでいる時に目に触れることはありません。机に向かっていくつかのプロセスを経た後に読了した電子本の一覧表が出てくるようにしてあっても、電子本には形や色がないから、お目当ての本を探すのが一苦労です。うまく探し出してページを開いても、感情のこもった傍線や書き込みもなく、どこが重要でどこがくだらないのかよく分りません。特別に記憶力のよい人か特殊な本でない限り、読んだ本はあらすじ以外のほとんどを忘れていますから、機械の中の本は時間が経つにつれ未だ読んでいない本とさして違わないものになります。機械の中の本は、本棚の本に比べはるかに遠い存在となるのです。英語に「out of sight, out of mind」という諺があります。「去る者は日々に疎し」と意訳されていますが、直訳すれば「見えなくなれば忘れられる」ということです。機械の中の写真と同様、機械の中の本は内容もろとも忘れられてしまうのです。

我が国ではここ二十年間で本屋の数が半減してしまいました。かつてはどの駅前にも本屋があり、いつも黒山の人だかりでした。一九七五年、私がアメリカから帰国した直後に来日した友人で、二十代の米人女性（私に惚れていた）は、この黒山を見て「最もエキサイティングな光景」と讃歎しました。その町における知の拠点だったのです。受験勉強時には私も一切、読書の時間が取れませんでしたが、本屋の黒山を見る度に、「自分は今、大事なことを忘れて疾走している」との意識を新たにしていました。サラリーマンだって、「今は残業で忙しくてバタバタしているけれど、ヒマができたらあの本を読もう」と自分に言い聞かせていました。

江戸末期、江戸に来たイギリス人達は、普通の庶民が本を立ち読みしている姿を見て、「この国は植民地にはできない」と早々と諦めました。「自国を統治できない無能な民のために我々白人が代わって統治してあげる」というのが植民地主義の論理でしたが、庶民が立ち読みする光景は本国にもないものだったからです。読書は国防ともなるのです。書店数の激減は我が国の将来にかかる暗雲と言えます。

また、大学生の半数が月に一冊も本を読まないという調査結果がでました。読書離れはそこまで進みました。ケータイ、スマホの使用規制を全国の小中高で実施すべき時がきたようです。

詳述しましたように、民主主義という暴走トラックを制御するものは、国民の教養だけなのです。

本を読むことで金儲けができるわけでも幸福になるわけでもありません。しかしロシアの作家チェーホフは、こう言いました。

「書物の新しい頁を一頁、一頁読むごとに、私はより豊かに、より強く、より高くなっていく」

読書すれば、現代の学生でも激変する

チェーホフの言は作家特有の誇張された表現ではありません。

私はお茶の水女子大学に在職中、十数年にわたり読書ゼミを続けました。数学科学生

への専門科目とは毛色の違った、他学科新入生を対象としたたった二十名ほどのこのゼミを私は気に入っていたので、毎年担当させてもらっていました。学生は毎週私の指示した一冊の文庫本を読み、翌週それに関するレポートを提出し、授業中はディスカッションをする。提出されたレポートは私が添削し、意見を付してその翌週に返却する、というシステムでした（この授業の実況中継をまとめたのが拙著『名著講義』（文春文庫）です）。

主に明治期から戦前に書かれた書物を通し、生まれて十八、九年間、ありとあらゆる偏見、独断、誤解でもみくちゃになった学生達に、日本人としての生き方や考え方に触れさせたいと思ったのです。日本人の原点にいささかでも触れると同時に、「時代の常識」からいったん退き、自分自身の頭で考える習慣をつけて欲しいと思いました。これまで受験勉強に追われ、本をあまり読んでいない学生達に、読書の愉しみを知ってもらえれば尚更よいとも願っていました。

彼女達の柔軟性は私の期待をはるかに上回るものでした。ゼミをほんの数回しただけで、学生達はみるみる変わっていきました。昔の人は無知蒙昧、科学技術の高度に発達した現代文明に生きる現代人が、当然ながら歴史上一番偉い、と信じていた学生達の多くが一変したのです。江戸や明治の人々は人間として自分達よりはるかに上、もしかしたら自分達は史上最低かも知れない、とまで思うような学生まで続出しました。

例えば『新版 きけ わだつみのこえ』を読んだ後では、学徒兵は軍国主義に洗脳され「天皇陛下万歳」と絶叫して死んでいった気の毒な人々、という彼女達の固定観念が根底から覆されました。彼女達が足下にも及ばない、学徒兵の父母や祖国を思う心の強烈さ、大量の読書により育まれたに違いない教養の深さ、戦陣にいて軍部を批判するだけの正義感と洞察力、などに圧倒されたのです。感動の余り、ゼミ中に意見を述べながら声をつまらせる人や、目頭を押さえる人が続出しました。そして断ちがたい学問への思いを断って、祖国や愛する人々の幸せを祈りつつ散華していった学徒兵達の思いを胸に、自分達は自由と平和と独立を守ろうと覚悟したのです。

山川菊栄著『武家の女性』を読んだ時は、彼女の「われわれが考えるほど当時の女たちが不幸だったとはいえません」という一文で学生達は衝撃を受けました。女性解放運動の闘士の言葉だからです。山川菊栄は無論、封建社会の理不尽、不合理、不自由、不平等、貧困にも言及しますが、幸福感こそが人間にとって最も本質なものと洞察しているのです。

読後、「江戸時代の女性のように、実家にはもう戻らないくらいの覚悟で相手の家に尽くしたい」とか、「家の存続のためなら、場合によっては妾を認めてもいい」という学生まで現れ、私をどぎまぎさせました。十八、九歳の現代女性がそう思うほど、この本に登場する女性達が、素敵で幸せそうに見えたからでしょう。ジェンダー論に染まった彼女達が、多様な価値観を持つようになったのです。

宮本常一著『忘れられた日本人』は、民俗学者の宮本常一が、日本各地を回り、長い時間をかけて人々から話を聞き、その地の伝統や風習をまとめたものです。調査時期は戦前から昭和三十年代までですが、まだ昔ながらの日本が田舎には濃厚に残っていました。実直に働き、思いやりが深く、皆で助け合い、年寄りを大事にし、性に開放的だった、という日本人の原点に触れた学生達は、一様に日本人としての拠り所を見出し、強い愛着を感じているようでした。

日本の近代化とは、ある意味で日本の「芯」を少しずつ削り取る作業でした。この世から消失したかに見えながら、日本人の、そして学生達の深奥にしっかりと「芯」は根付いていたのです。それが学生達に深い共鳴を起こさせたのだと思いました。

こんな読後レポートがありました。「私の家は山形の百姓です。この本を読んで、私の家が先祖代々の百姓であることが誇らしく思えました。今度の夏休みに帰郷したら、先祖の眠るお墓の草取りに精を出そうと思いました」。このレポート一つで私は、この本を読ませてよかった、このゼミを開いて報われたとさえ思いました。

良書を読むことで、人間はいくつになっても、あっという間に思考や感覚が鋭く、そして大きく変貌することが可能なのです。余りに劇的に学生達が変貌するので、洗脳教育をしているのでは、と自問することさえ時にはあったのです。本の絶大な威力に今更ながら気付かされました。

本を読むことで自己を向上させることができるということです。それは人間としての愉悦と言ってよいことです。私は餃子と豆大福が大好物です。人間はこれらを食べなくとも幸せな人生を全うできます。しかしこれらを口にせず死んで行く人を心の底から気の毒と思います。私はショパンを聴いたり、童謡や歌謡曲を歌うのが大好きです。これらを聴かず、これらを歌わなくとも、幸せな人生を全うできます。でもそういった人々を気の毒に思います。本を読まない人に対しても同じ気持ちです。ローマ時代の学者であり政治家でもあったキケロは、「本のない部屋は、魂のない肉体のようなものだ」と言いました。祖父は「一日に一頁も本を読まない人間はケダモノと同じだ」と言っていました。キケロも祖父も同じことを言ったのだと思います。「本を読むということは人間として生きること」なのです。

藤原正彦　1943（昭和18）年生まれ。お茶の水女子大学名誉教授。数学者。父・新田次郎、母・藤原ていの次男。『若き数学者のアメリカ』『遥かなるケンブリッジ』『国家の品格』など著書多数。

Ⓢ新潮新書

793

国家《こっか》と教養《きょうよう》

著　者　藤原正彦《ふじわらまさひこ》

2018年12月20日　発行
2019年4月5日　3刷

発行者　佐藤隆信

発行所　株式会社新潮社

〒162-8711　東京都新宿区矢来町71番地
編集部(03)3266-5430　読者係(03)3266-5111
https://www.shinchosha.co.jp

印刷所　錦明印刷株式会社

製本所　錦明印刷株式会社

©Masahiko Fujiwara 2018, Printed in Japan

乱丁・落丁本は、ご面倒ですが
小社読者係宛お送りください。
送料小社負担にてお取替えいたします。

ISBN978-4-10-610793-1　C0210

価格はカバーに表示してあります。

Ⓢ新潮新書

141 国家の品格 藤原正彦

アメリカ並の「普通の国」になってはいけない。日本固有の「情緒の文化」と武士道精神の大切さを再認識し、「孤高の日本」に愛と誇りを取り戻せ。誰も書けなかった画期的日本人論。

760 素顔の西郷隆盛 磯田道史

今から百五十年前、この国のかたちを一変させた西郷隆盛とは、いったい何者か。後代の神格化を離れて「大西郷」の素顔を活写、その意外な人間像と維新史を浮き彫りにする。

237 大人の見識 阿川弘之

かつてこの国には、見識ある大人がいた。和魂と武士道、英国流の智恵とユーモア、自らの体験と作家生活六十年の見聞を温め、新たな時代にも持すべき人間の叡智を知る。

744 日本人と象徴天皇 「NHKスペシャル」取材班

戦後巡幸、欧米歴訪、沖縄への関与、そして続く鎮魂の旅——。これまで明かされなかった秘蔵資料と独自取材によって、象徴となった二代の天皇と日本社会の関わりを描いた戦後70年史。

741 たべたいの 壇 蜜

リンゴ飴はあの娘《こ》の思い出が宿る青春の味。オクラは嫉妬の対象で……魚肉ソーセージは同業者?!　男はざわつき女は頷く、才女の脳裏に渦巻く食に関する記憶、憧憬、疑惑の数々——。

Ⓢ新潮新書

752
イスラム教の論理
飯山陽

コーランの教えに従えば、日本人は殺すべき敵であり、「イスラム国」は正しいイスラム教徒である――。気鋭のイスラム思想研究者が、西側の論理とはかけ離れたその本質を描き出す。

748
外国人が熱狂するクールな田舎の作り方
山田拓

なぜ、「なにもない日本の田舎」の「なにげない日常」が宝の山になるのか？　地域の課題にインバウンド・ツーリズムで解決を図った「逆張りの戦略ストーリー」を大公開。

785
米韓同盟消滅
鈴置高史

北朝鮮に宥和的な韓国の本音は「南北共同の核保有」に他ならない。米韓同盟は消滅し、韓国はやがて「中国の属国」になる――。朝鮮半島「先読みのプロ」が描く冷徹な現実。

742
軍事のリアル
冨澤暉

現代の軍隊は戦争の道具ではなく、世界の平和と安定の基盤である。自衛隊を正しく「軍隊」と位置づけ、できることを冷静に見極めよ――。元陸上自衛隊トップによる超リアルな軍事論。

734
こうして歴史問題は捏造される
有馬哲夫

第一次資料の読み方、証言の捉え方等、研究の本道を説き、慰安婦、南京事件等に関する客観的事実を解説。イデオロギーに依らず謙虚に歴史を見つめる作法を提示する。

Ⓢ新潮新書

719
生涯現役論
佐山展生
山本昌
地道な努力と下積みをいとわず、「好き」を追究しつづける――。球界のレジェンドと最強のビジネスマンの姿勢は驚くほど共通していた。人生100年時代に贈る勇気と希望の仕事論。

703
国家の矛盾
高村正彦
三浦瑠麗
日本外交は本当に「対米追従」なのか。「トランプ時代」の日本の選択とは――。安全保障論議を一貫してリードしてきた自民党外交族の重鎮に気鋭の政治学者が迫った異色対談。

663
言ってはいけない
残酷すぎる真実
橘玲
社会の美言は絵空事だ。往々にして、努力は遺伝に勝てず、見た目の「美貌格差」で人生が左右され、子育ての苦労もムダに終る。最新知見から明かされる「不愉快な現実」を直視せよ！

692
観光立国の正体
藻谷浩介
山田桂一郎
観光地の現場に跋扈する「地元のボスゾンビ」たちを一掃せよ！　日本を地方から再生させ、真の観光立国にするための処方箋を、地域振興のエキスパートと観光カリスマが徹底討論。

689
フランスはどう少子化を克服したか
髙崎順子
「2週間で男を父親にする」「3歳からは全員学校に」「出産は無痛分娩で」――子育て大国、5つの新発想を徹底レポート。これからの育児と少子化問題を考えるための必読の書。

Ⓢ新潮新書

786
墓が語る江戸の真実　岡崎守恭

悪女と恨まれた側室と藩主の絆（鹿児島・福昌寺）、後継ぎの兄よりも弟の自分を愛してくれた母への思い（高野山奥の院）……。墓を見ればわかる、江戸時代の愛憎と恩讐の物語十話。

778
日本人とドイツ人
比べてみたらどっちもどっち　雨宮紫苑

「日本人とドイツ人は似ている」なんて大ウソでした！　安易に真似したら大変なことになるかも……26歳日本人女性が現地で驚き戸惑い怒り笑いながら綴る、等身大の比較文化論。

775
悪魔と呼ばれたヴァイオリニスト
パガニーニ伝　浦久俊彦

守銭奴、女好き、瀆神者。なれど、その音色は超絶無比――。自ら「悪魔」のイメージを身にまとい、死後も幽霊となって音楽を奏でているとまで言われた伝説の演奏家、本邦初の伝記。

769
本当はダメなアメリカ農業　菅　正治

保護主義で輸出ひとり負け、人手不足、高齢化、作物は薬漬け……。「自由化したら日本農業が壊滅する」なんて大ウソだ！　現地を徹底取材したジャーナリストが描き出す等身大の姿。

766
発達障害と少年犯罪　田淵俊彦　NNNドキュメント取材班

負の連鎖を断ち切るためには何が必要なのか。矯正施設、加害少年、彼らを支援する精神科医、特別支援教育の現場などを徹底取材。敢えてタブーに切り込み、問題解決の方策を提示する。

Ⓢ新潮新書

740
遺言。
養老孟司

私たちの意識と感覚に関する思索は、人間関係やデジタル社会の息苦しさから解放される道となる。知的刺激に満ちた、このうえなく明るく面白い「遺言」の誕生！

735
女系図でみる驚きの日本史
大塚ひかり

平家は滅亡していなかった⁉ かつて女性皇太子がいた⁉ 京の都は移民の町だった⁉——胤（たね）よりも、腹（はら）をたどるとみえてきた本当の日本史。

662
組織の掟
佐藤　優

「外部の助言で評価を動かせ」「問題人物は断固拒否せよ」「斜め上の応援団を作れ」……うまく立ち回る者だけが組織で勝ち上がれる。全ビジネスパーソン必読の「超実践的処世訓」。

713
人間の経済
宇沢弘文

富を求めるのは、道を聞くためである——それが、経済学者として終生変わらない姿勢だった。経済思想の巨人が、自らの軌跡とともに語った、未来へのラスト・メッセージ。

709
ポピュリズム
世界を覆い尽くす「魔物」の正体

薬師院仁志

エリートとインテリを敵視し、人民の側に立つと称する「思想」が、なぜ世界を席巻するに至ったのか。橋下徹氏と対決した社会学者が、起源にまでさかのぼって本質をえぐり出す。

Ⓢ新潮新書

702
ADHDでよかった　立入勝義

正面から向き合ったことで、「障害」は「強み」に転じた。実は世の天才、成功者も「ＡＤＨＤだらけ」！　アメリカ在住20年の起業家・コンサルタントが綴った驚きと感動の手記。

761
マサカの時代　五木寛之

世界情勢も日本社会も、そして個人の人生においても、予期せぬ出来事はいつでも起きる。迫りくる歴史的な大変化、常識もルールも通用しない時代を生き抜くヒントが満載！

687
反・民主主義論　佐伯啓思

民主主義を信じるほど、不幸になっていく。憲法論争、安保法制、無差別テロ、トランプ現象……いま、あふれだす欺瞞と醜態。国家を蝕む最大の元凶を、稀代の思想家が鋭く衝く。

686
日本人の甘え　曽野綾子

国と社会に対する認識の甘さ、マスコミの思い上がりと劣化、他国や他民族への無理解と独善……近年この国に現われ始めた体質変化を見つめ、人の世の道理とは何かを説く。

685
爆発的進化論
1％の奇跡がヒトを作った　更科功

眼の誕生、骨の発明、顎の獲得、脳の巨大化……進化史上の「大事件」を辿れば、ヒト誕生の謎が見えてくる！　進化論の常識を覆す最新生物学講座。

Ⓢ新潮新書

674
ジブリの仲間たち
鈴木敏夫

「風の谷のナウシカ」「もののけ姫」「千と千尋の神隠し」「風立ちぬ」……なぜジブリだけが大ヒットを続けられたのか？　名プロデューサーが初めて明かした「宣伝と広告のはなし」。

671
日本的ナルシシズムの罪
堀有伸

個人より集団、論理より情緒、現実より想像……うつ病の急増、ブラック企業や原発事故などあらゆる社会問題に通底する、日本人特有のナルシシズムの構造を明らかにする。

670
格差と序列の日本史
山本博文

時代とともに姿を変える国家と社会。しかし、古代でも中世でも、その本質はいつも人の「格差」と「序列」にあらわれる。二つのキーワードから、日本史の基本構造を解き明かす。

669
食魔　谷崎潤一郎
坂本葵

その食い意地、藝術的なり！　絶品から珍品まで、この世のうまいものを食べ尽くした文豪は、食を通して人間の業を描き切った。文豪の新たな魅力を掘り起こす、かつてない谷崎潤一郎論！

667
違和感の正体
先崎彰容

国会前デモ、絶対平和、反知性主義批判、安心・安全――メディアや知識人が語る「正義」はなぜ浅はかなのか。考えるより先に、騒々しいほど「処方箋を焦る社会」へ、憂国の論考！

Ⓢ新潮新書

藤原正彦
FUJIWARA Masahiko

国家と教養

793

新潮社